红楼梦

原著／曹雪芹 高鹗

改写／木日

绘画／木易

上海人民美术出版社

图书在版编目（CIP）数据

红楼梦 / (清)曹雪芹、(清)高鹗原著；木日改写；木易绘画.—上海：上海人民美术出版社，
2003.11(2006.4 第 2 版)
（精装中国古典名著系列）
ISBN 7-5322-3736-2

I.红… Ⅱ.①曹…②高…③木…④木… Ⅲ.连环画-作品-中国-现代 Ⅳ.J228.4

中国版本图书馆 CIP 数据核字(2003)第 097451 号

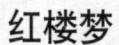

红楼梦

(清)曹雪芹 高 鹗/原著

木 日/改写 木 易/绘画

上海人民美术出版社出版发行

全国新华书店经销

深圳大捷利印刷实业有限公司印刷

开本：889×1194 1/24 11 印张

2006 年 4 月第 2 版 2006 年 4 月第 1 次印刷

印数：1-20000 册

责任编辑：张 燕 装帧设计：陈必琴

责任校对：王仙芳 美术编辑：鲁 静

电脑效果：罗 绢 张青青 钮 灵 黎 婧

ISBN 7-5322-3736-2/J·3468

定价：29.00 元

策划：湖北海豚传媒有限责任公司

网址：www.DOLPHINMEDIA.cn 邮箱：dolphinmedia@vip.163.com

海豚传媒常年法律顾问：湖北珞珈律师事务所王清博士 电话：027-68754624

红楼梦

悠悠五千年中华历史，也正是五千年中华文明史。它就像一座丰富璀璨的文化宝库，给后人提供了智慧与力量。中国四大古典文学名著就是中华民族智慧的结晶，也是中国文学史上的明珠。数百年来，它深受广大人民群众的喜爱，成为家喻户晓、千古传诵的作品，对中国文化也产生了深刻的影响。

近年来，电视连续剧《西游记》、《红楼梦》、《三国演义》、《水浒》相继开拍问世，也掀起了一阵阵了解、欣赏古典文学名著的热潮。我们将《三国演义》、《红楼梦》、《西游记》、《水浒全传》合集出版，希望能够得到读者的欢迎。

《红楼梦》产生于我国十八世纪中期，是一部现实主义的文学巨著。全书120回，前80回为曹雪芹著，后40回一般认为是高鹗续作。

它以贾府的大观园为主要舞台，搬演了一出中国封建社会后期的社会历史悲剧，特别是贾宝玉、林黛玉、薛宝钗之间的婚姻爱情悲剧，散发着摄人心魄的文学魅力。书中的语言优美生动，人物刻画栩栩如生，具有很高的思想性和卓越的艺术性。

编者

二零零三年十一月

花谢花飞花满天，红消香断有谁怜？游丝软系飘春榭，落絮轻沾扑绣帘。

闺中女儿惜春暮，愁绪满怀无释处，手把花锄出绣闺，忍踏落花来复去。

柳丝榆荚自芳菲，不管桃飘与李飞。桃李明年能再发，明年闺中知有谁？

三月香巢已垒成，梁间燕子太无情！明年花发虽可啄，却不道人去梁空巢也倾。

一年三百六十日，风刀霜剑严相逼，明媚鲜妍能几时，一朝飘泊难寻觅。

花开易见落难寻，阶前闷杀葬花人，独倚花锄泪暗洒，洒上空枝见血痕。

杜鹃无语正黄昏，荷锄归去掩重门。青灯照壁人初睡，冷雨敲窗被未温。

怪奴底事倍伤神，半为怜春半恼春：怜春忽至恼忽去，至又无言去不闻。

昨宵庭外悲歌发，知是花魂与鸟魂？花魂鸟魂总难留，鸟自无言花自羞。

愿奴胁下生双翼，随花飞到天尽头。天尽头，何处有香丘？

未若锦囊收艳骨，一抔净土掩风流。质本洁来还洁去，强于污淖陷渠沟。

尔今死去侬收葬，未卜侬身何日丧？侬今葬花人笑痴，他年葬侬知是谁？

试看春残花渐落，便是红颜老死时。一朝春尽红颜老，花落人亡两不知！

1 女娲炼五彩石补天，留下一块没用，丢在青埂峰下。不料此石炼后通灵，见自己无材补天，自叹自怨。一天，他见一僧一道来到青埂峰下，说起红尘中荣华富贵，便苦求二仙带他到红尘中去。

2 于是，二仙大施佛法，将巨石变作美玉，缩成扇坠大小，又镌上字，授他入世，便有了这篇风流故事。

3 姑苏城内葫芦庙旁边，住着一位叫甄士隐的乡宦。他膝下独有一女名英莲，三岁看灯时走失。甄士隐乐善好施，曾资助一位住在庙里的穷儒贾雨村进京赴考。一场火灾，使甄士隐穷走岳丈家，后看破红尘，随道人出家。

4 一天，甄家丫环娇杏在门前买线，见新任太爷到任，轿内坐的竟是贾雨村。娇杏正疑惑，公差来传甄老爷。士隐岳丈封肃忙出来说明女婿已经出家，公差便把封肃带了去。

5 原来贾雨村看见娇杏，以为甄老爷移居此地。听说甄老爷出家，贾雨村连连叹息；当得知英莲丢失时，便命番役务必探访回来。封肃回家将一切告诉女儿，甄家娘子十分伤感。

6 第二天，贾雨村送厚礼答谢，还写信要娇杏作二房。封肃巴不得奉承，连夜将娇杏送过去。后来娇杏生一子，扶了正。

7 谁知不到一年，雨村被革了官职。他送家小回原籍，自己则云游天下。到维扬时，盘费不继，他便应聘到巡盐御史林如海家做家教，学生是林如海的独生女儿林黛玉。

红楼梦

8 一年后，黛玉母亲贾夫人病故，黛玉哀伤过度，触发旧病，便连日辍学。雨村闲来无事，信步到郊外酒楼，却巧遇旧友古董商冷子兴。

9 两人闲聊，说起都中荣宁二府虽已衰败但气派不凡，荣公长媳史太君主家事，她的长子贾赦袭了官，次子贾政任员外郎，得一孙，落胎时口含一块玉，老太君爱如珍宝，取名宝玉。

10 正说着，当年同案被革职的张如圭找来，说都中要起用旧官员，让雨村找门路复职。冷子兴让他去找林如海，请他去求贾政。

11 雨村去见林如海，正巧林如海的岳母史太君怕外孙女无人依傍、教育，派船来接，林如海便写了书信，让贾雨村随女儿一同到都中。

13 黛玉登岸时，荣府的车轿已经等候很久了。黛玉听母亲说过，外祖母家与众不同，因此步步留心，怕被人耻笑。进入城中，她从纱窗向外瞧，街市繁华，自与别处不同。

12 贾政看了妹夫的信，请雨村相会，见他相貌堂堂、言语不俗，因此竭力从中协助。不到两月，雨村便补了应天府一缺，于是辞别贾政，上任去了。

14 走了好一会儿，黛玉看见街北蹲着两个大石狮子，三间兽头大门，横匾上写着"敕造宁国府"。黛玉知道这是外祖的长房；又往西行，也是三间大门，知道是荣国府了。

15 轿子进门后,另换几个衣帽周全的小厮抬入垂花门前。小厮退出,婆子上前打起轿帘,扶黛玉下轿,几个丫头笑迎上来,边打帘边传话:"林姑娘到。"

16 黛玉入房中,见两人搀着一位白发老人迎上来,知是外祖母,正要拜见,早被贾母搂入怀里,"心肝儿肉"地叫着大哭起来。

17 半晌,贾母叫外孙女拜过大舅母邢氏、二舅母王氏和大嫂李纨,又叫:"请姑娘们来!"只见奶娘丫环簇拥着三位姑娘走来:二姑娘迎春,三姑娘探春,四姑娘惜春。大姐元春是当今贵妃,当然不能相见。黛玉忙起身见礼。

18 "我来迟了，不曾迎接远客！"忽然外面传来笑声。黛玉纳罕，人人敛声静气，谁如此放诞无礼？只见一群媳妇丫环拥着一个彩绣辉煌的女人进来。贾母说她是琏二嫂子，有名的"凤辣子"。

19 黛玉忙赔笑见礼。想起母亲曾说过，她是二舅母的内侄女，学名王熙凤。熙凤拉着黛玉上下打量，说从没见过这么标致的人，不像老祖母的外孙女倒像嫡亲孙女。她嘱咐黛玉要什么只管说，并吩咐婆子把行李搬进来。

20 说话间，已摆上茶果，熙凤一边亲手捧茶送果，一边回答王夫人询问发放月银和为林姑娘取料裁衣的事。茶毕，贾母让黛玉去拜见两位舅舅，黛玉便随邢夫人上车去那边见大舅贾赦。

21 贾赦说身体不适，怕见了伤心，暂且不忍相见。黛玉来见二舅，偏贾政又去斋戒了。二舅母嘱咐黛玉，家里有个混世魔王叫宝玉，总不用理他。黛玉答应。

22 回到贾母处，吃过晚饭，忽传宝玉来了。黛玉正想不知是怎样一个顽童时，进来一位年轻公子，面如中秋月，色如春晓花，头戴紫金冠，项上系一块美玉。黛玉大吃一惊，像是在哪儿见过似的。

23 宝玉向祖母、母亲请了安，来与黛玉相见，也说似曾与这个妹妹见过。他问黛玉读过什么书，芳名是什么，见黛玉眉尖若蹙，又送她"颦颦"的表字，还问她有玉吗。黛玉说："那是稀罕东西，哪能人人都有！"

24 宝玉听了，摘下那玉狠命摔去，说姐姐妹妹都没有就他有，可见不是个好东西。众人忙争着去拾玉，贾母接着哄道："这个妹妹原也有玉，因母亲去世，把玉带去了，以全殉葬之礼，尽你妹妹孝心。"

25 宝玉听祖母这样说，才又将玉戴上。贾母让把黛玉也安排在套房歇息，又将自己的丫头鹦哥给了黛玉，另外也像家中姐妹一样，为她配了四个嬷嬷。晚上，黛玉因引起宝玉摔玉而伤心落泪。

26 贾雨村上任后接手第一个命案便受阻，被告薛蟠仗势逍遥法外。当雨村下令捉拿时，一门子递上一张"护身符"，说薛蟠财大气粗，得罪不得，雨村果然胡乱判了此案。

27 薛蟠是荣国府王夫人的外甥，是寡母独苗，从小溺爱，骄纵成性。他妹妹宝钗貌美端庄，读书识理，比哥哥强十倍。

28 薛蟠陪母亲、妹妹入都，住进了荣国府。

29 王夫人听说妹妹合家进京，高兴地连忙接到大厅上。姐妹相见，悲喜交集，叙了一番别离苦情。王夫人又引薛姨妈拜见了贾母等人。

红楼梦

30 薛姨妈一家住进了梨香院，但坚持起居费用一定要自理。从此，宝钗、黛玉、迎春、探春、惜春等整日在一起或下棋、或吟诗，相处得十分融洽。

31 薛蟠本不想住在贾府，怕受管束，但不到一个月，就与贾府中的纨绔子弟们相熟了，会酒观花，聚赌嫖娼，学得比往日更坏。贾政虽教子有方，但族大人多，哪里顾得过来。

32 黛玉自到荣国府后，上有贾母疼爱，下有宝玉相伴，渐渐地不再想家。宝钗来后，棋琴书画样样会，性情又随和，下人们都亲近她。黛玉见了，感叹自己身世，不觉又伤心落泪。

33 宝玉过来瞧见了，想方设法陪她说笑，直到黛玉转忧为喜。

34 一天，宝玉和贾母一起到宁府会芳园赏花，忽然觉得有些困乏。贾蓉之妻秦氏领他到房内歇息。宝玉见墙上有一幅劝子勤学的《燃藜图》，心里不快，吵着要出去。

35 秦氏无奈，只好领他来到自己卧室。进门来，闻见一股香气，加之墙上有唐伯虎的《海棠春睡图》及珠帐鸳枕，他便高兴地连说："这里好！"奶妈便服侍他睡下。

36 刚合上眼，宝玉便悠悠荡荡进入了太虚幻境，随警幻仙姑到孽海情天，翻阅了金陵十二钗的秘册，仙姑还授他云雨之事。

红楼梦

37 晚上,宝玉叫袭人把弄脏的内裤换下,并害羞地嘱咐她不要告诉别人。宝玉将梦中之事讲给袭人听,又让袭人与他同领其中奥妙。

38 京郊有个刘姥姥,二十年前她的亲家和王夫人的父亲连过宗侄。这天,她拉着外孙板儿来到荣府,名是认亲,实则想讨些施舍。

39 她找到贾府一个管事的周大爷家,寒暄几句,周瑞家的便听明了来意。

40 周瑞家的带刘姥姥往贾琏住处来,让刘姥姥和板儿等在门口,自己进去找凤姐的心腹丫头平儿说明来意。平儿让把刘姥姥带进堂屋来。

41 刘姥姥见平儿遍身绫罗,以为是凤姐,倒地就拜,周瑞家的连忙拦住。忽听咯当咯当的声音,刘姥姥看见墙上挂着个坠秤砣样的东西晃来晃去,不知是个什么东西。

42 忽见丫头们一阵慌张,悄声说:"来了来了。"周瑞家的和平儿忙迎了出去,刘姥姥屏息静候,只见一群妇人往那边屋里去了。过了一会儿,抬出来一桌鱼肉,不过略动了几样。板儿要吃,被刘姥姥打了一巴掌。

43 周瑞家的引刘姥姥来见凤姐,刘姥姥进门便拜,凤姐只笑着问候。

44 凤姐揣度刘姥姥的来意,边叫穷、边叫人去请示王夫人。周瑞家的回来传了王夫人的话,又向刘姥姥示意,刘姥姥忙向凤姐求助。凤姐叫人拿了二十两银子给她,刘姥姥千恩万谢而去。

红楼梦

45 送走刘姥姥，周瑞家的去回王夫人话。王夫人到薛姨妈处去了，周瑞家的跟过来，又不敢惊动，就走进宝钗房中。知道宝钗旧病发作，便劝她吃药，宝钗说吃了冷香丸。

46 王夫人出来，周瑞家的忙上前回话，退出时薛姨妈叫香菱捧出一匣新鲜头花，让她去分给姐妹们。

47 香菱送客出来，周瑞家的知道她就是薛蟠进京前打死人命买下的丫头，问她父母家乡，香菱一概不知。

48 周瑞家的捧着花,由迎春、探春、惜春等处一路分送过来。

49 来到黛玉处,黛玉正和宝玉解九连环玩。黛玉听说别的姑娘都送过了,心里便恼了,说:"我就知道,别人不挑剩下的也不给我。"

50 有一天,宁府贾珍的媳妇尤氏请凤姐过去逛逛,凤姐回了王夫人,又来辞贾母,宝玉听说,也要跟着去玩。

51 进入宁府,到上房归座,秦氏献茶时告诉宝玉她弟弟秦钟来了,凤姐让她叫来见见。

52 秦钟羞羞怯怯地向凤姐请安。凤姐见他眉清目秀，说宝玉都不如他。她拉秦钟在自己身旁坐下，又赏他衣料和金锞子。

53 宝玉、秦钟避开长辈，躲到里间叙谈，两人相见恨晚。二人商议同进族中家塾，以得朋友之乐。

54 天黑时，凤姐、宝玉告辞出来，听见家人焦大趁着酒兴大吵大闹，焦大仗着救过太爷的命，谁都不放在眼里。贾蓉说他几句，他竟要对贾蓉动刀子。众小厮将他捆到马厩里去了。

55 焦大骂不绝口，说太爷养下些畜生，偷鸡摸狗爬灰养小叔子。宝玉问什么叫爬灰，被凤姐呵斥。

56 宝玉想起宝钗养病在家，便到梨香院去探视。

57 宝玉先向薛姨妈请安，而后去看望宝钗。

58 姐弟相见，非常亲热。宝钗要过宝玉项上的玉赏玩，只见那玉正面写着："通灵宝玉，莫失莫忘，仙寿恒昌"，反面是："一除邪祟，二疗冤疾，三知祸福"。

59 宝钗将"莫失莫忘，仙寿恒昌"念了两遍，丫环莺儿笑着说："这两句和姑娘项圈上的金锁像是一对儿。"宝玉非要瞧瞧，宝钗将项圈掏出来，果然上面写着："不离不弃，芳龄永继"。

60 莺儿说这字是个癞头和尚送的，说必须錾在金器上。宝玉闻见宝钗身上有股幽香，就凑近去闻，正好黛玉进门，笑着说："哎哟，我来得不巧了。"

61 宝钗问她这话何意，黛玉笑着说："早知他来，我就不来了。"宝钗说："这我就更不明白了。"黛玉笑着说："今儿他来，明儿我来，天天有人来，不至于太冷落，也不至于太热闹，姐姐怎么不明白？"

62 薛姨妈摆上果茶，又取来宝玉爱吃的鹅掌。宝玉要喝酒，薛姨妈就让人取了好酒来。

63 宝玉拿起要喝，宝钗说，要喝热酒，热酒发散快，冷酒凝结在内对人有害。宝玉听了便放下冷酒，让人暖了再喝。

64 正巧，丫头来给黛玉送手炉，说："紫鹃怕姑娘冷，让我送来。"黛玉借题发挥，说："你倒听她的话，我平常说的全当耳边风。"

65 宝玉正喝在兴头上，李嬷嬷来劝："老爷今天在家，你提防着问你的书！"宝玉顿时没了兴致。黛玉怪李嬷嬷扫大家的兴，薛姨妈也叫宝玉别在意，宝玉才又高兴起来。

66 第二天，宝玉酒醉刚醒，秦钟来拜，宝玉带他去见贾母。贾母见他仪表堂堂，同意他和宝玉一起上家塾。

67 家塾里虽是本家子弟，但鱼龙混杂，薛蟠便是其中之一。他上学是假，好玩男色是真。宝玉、秦钟更是情种，和两个叫香怜、玉爱的男生缠绵不清。

68 有一天，老师回家了，秦钟与香怜私会，被金荣抓住，大打出手。宝玉因纸墨书砚撒了满地，要去告诉太爷。跟班的怕事闹大，逼金荣磕头赔礼。

69 金荣对秦钟仗着宝玉欺人忿忿不平。母亲胡氏听说后也让他忍气吞声，说有个念书的地方不容易。

红楼梦

70 金荣的姑姑是曹璜的妻子,姑侄二人常去宁荣二府请安,听说侄儿在学堂受气,金氏怒从心起,要去宁府找秦氏评理。

71 到了宁府,听说秦氏卧病在床,她刚刚听说弟弟在学堂里受人欺负,正又恼又气呢。金氏便不敢再提侄儿的事。

72 贾珍告诉尤氏,已经为媳妇请了个好大夫,明天就来。尤氏很高兴。

73 第二天,张大夫到,贾蓉领进居室,把脉诊断,说出的病情竟分毫不差,但又说病拖得太久了,只有三分可治。随后开了方子离去。

红楼梦

74 这一天,是太爷曹敬的寿辰。吃过饭,拜寿的人都去园子里听戏去了,只有宝玉要跟凤姐去看秦氏。

75 贾蓉领凤姐、宝玉进了卧房,凤姐和秦氏说话,宝玉却盯着《海棠春睡图》,想起在这儿睡午觉、梦游太虚幻境的事来。

76 凤姐劝慰完秦氏,便往园子里听戏。这时,忽从山石后面转出一个人来,原来是贾瑞,他说些轻薄戏弄的话,还拿一双色眼不住地盯着凤姐。

77 凤姐假意含笑,周旋脱身。等他走远了,凤姐心里暗想:"这才是知人知面不知心呢。几时叫他死在我手里,他才知道我的手段!"

78 秦氏病情加重,凤姐去宁府预备后事,回来后平儿说贾瑞来过,凤姐便将上次宁府的事告诉平儿,平儿骂他是没人伦的东西。

79 正说着,人报"瑞大爷又来了"。凤姐假意殷勤,贾瑞越发放肆。凤姐让他庄重些,免得下人笑话,并让他晚上再来。贾瑞欣喜若狂。

80 晚上,贾瑞摸黑来到荣府穿堂。不一会儿,两边的门都锁了,南北高墙,寒冬腊月,贾瑞冻了一夜,直到天明门开时,才溜了出去。

红楼梦

81 贾瑞父母双亡，由祖父代儒教养，平时教训很严。见他一夜未归，祖父狠打了他三四十板，不许吃饭，让他跪在院里读文章。

82 然而，贾瑞贼心不改，他没想到凤姐是在捉弄他。两天后，他再次去找凤姐，凤姐怪他失信，又约他在过道空屋里相见。

83 直到祖父睡着了，贾瑞才溜出来。他在荣府空屋里等着，如热锅上蚂蚁一般。

84 黑暗中走来了一个人，贾瑞断定是凤姐，便饿虎一般扑上去，将其抱到炕上，满口"亲爹"、"亲娘"地乱叫，那人只不作声。

85 突然，亮光一闪，贾蔷举着蜡台进来，喝问："谁在屋里？"贾瑞一见炕上那人是贾蓉，臊得无地自容，回身就跑。

86 贾蔷一把揪住，要拉他去见太太。贾瑞吓得连忙讨饶，贾蔷、贾蓉二侄便逼他给各自写了一张五十两银子的欠契，才肯罢休。

87 两人说怕被老爷看见，让贾瑞藏在台阶下，等探探动静再来领他。贾瑞蹲在那儿傻等，忽然一桶屎尿从他头顶上泼下来。

88 贾瑞两次冻恼成疾，请医吃药，总不见好。一天，一个跛足道人送来一面宝镜，叮嘱他只照背面，不可照正面，每天如此，小命可保。

红楼梦

89 贾瑞一看，背面镜子立着个骷髅；照照正面，是凤姐在向他招手。贾瑞一喜，荡悠悠进了镜子，与凤姐亲热一番……如此数次，便命归黄泉。

90 冬来，贾琏送黛玉回扬州去探父病。这天夜里，恍惚中凤姐见秦氏向她走来，预言贾府的兴败，叫凤姐早作后虑。凤姐正要细问，被报丧的云板惊醒："东府蓉大奶奶没了！"

91 凤姐吓得出了一身冷汗，忙去见王夫人。宝玉听了噩耗，竟"哇"一声呕出血来，连夜赶往宁府去。

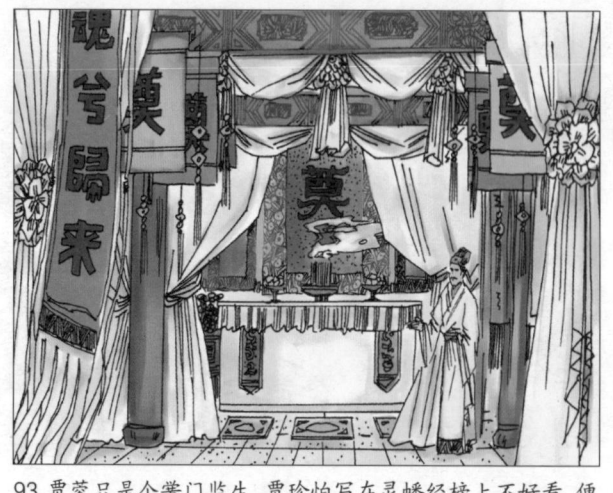

92 宁府门前灯如白昼，哭声震天。宝玉下车到灵前痛哭一场，又去见了远近亲友。贾珍哭得泪人一般，请一百零八僧超度，停灵七七四十九天。

93 贾蓉只是个黉门监生，贾珍怕写在灵幡经榜上不好看，便用一千五百两银子买了个五品龙禁尉，堂堂正正写在榜上，光耀亡灵。

94 尤氏犯了旧病，不能料理后事。宝玉推荐凤姐，贾珍忙求邢、王夫人同意，凤姐巴不得卖弄才能，便应下此事。

95 第二天，凤姐来到宁府，传齐上下，按责分工，订立规矩，咸重令行，宁府上下，个个小心。

96 一天，凤姐按名查点，迎亲送客的一人未到，即令传来，原来此人是睡过头了。凤姐喝令打了他二十板子，从此上下再不敢偷懒。

97 出殡时，大小车轿浩浩荡荡摆了三四里远，宦客乡绅、王孙公子都来了。沿路彩棚高搭，设席张筵。北静王也设了路祭，贾珍忙迎上去，以国礼相见。

98 北静王年轻秀美、性情谦和，见过贾珍、贾赦、贾政后，又问哪位是衔玉而生者。贾政忙去领宝玉，引他一见。

99 宝玉上前参见，北静王伸手搀扶，又要那宝物来过目。他看后赞不绝口，并随即将圣上亲赐念珠一串送给宝玉。

101 在净室里，老尼姑为解除张财主女儿婚约一事向凤姐求情。凤姐先不肯，后老尼用话激她，又许给她三千两银子，凤姐便满口答应了。谁知那女儿性烈，自缢身亡，凤姐便坐收三千银两。

100 送殡到铁槛寺，众人散去，只有凤姐等待三日安灵道场之后才可回去。宝玉、秦钟便陪凤姐住进馒头庵。在殿上，他们遇见秦钟的旧相好庵尼智能。

102 贾政生日，宁荣二府齐祝。忽报六宫都太监夏老爷来降旨，贾政忙出门跪接，马上更衣入朝陛见。

103 贾府上下不知凶吉，都惶惶不安。两个时辰后，赖大进来报喜，说大小姐加封为凤藻宫尚书，进封贤德妃，速请贾母携太太们去谢恩。

104 此时，秦钟因与智能私通被他父亲痛打，一病不起，宝玉十分愁闷。好在林如海去世，黛玉又回到了贾府。黛玉将些纸笔送宝玉，宝玉将北静王送的念珠转送黛玉，黛玉却嫌是臭男人用过的，不要。

105 贾琏刚到家，又被贾政传去。元春要回家省亲，需建造省亲殿宇。第二天，贾琏便开始操持此事。

红楼梦

106 家里事多，贾政顾不上问宝玉的书，宝玉觉得心情畅快。只是秦钟的病一天比一天重，叫他忧心。一天有人来说："秦相公不行了。"宝玉连忙赶去，秦钟讷讷无声，便死去了。

107 省亲园工程告竣，贾珍等请贾政查验，并商量题匾对联的事。贾政犯难，贵妃不见实景，必不肯妄拟，若等游毕再题，偌大景致，无字无题，岂不没趣。

108 清客们献计，先虚拟出来，暂挂，待贵妃来时再定。贾政点头称好，于是引众人前往园中。

109 正赶上宝玉因秦钟死而忧戚，正在园里散心，一时回避不及。贾政听先生夸宝玉善对对联，想试试他的歪才，让他跟着。

红楼梦

110 宝玉果然不凡，先后用"曲径通幽"、"有凤来仪"、"稻香村"、"蘅汀花溆"、"蘅芜清芬"、"沁芳"等题匾和对联，让众清客刮目相看。

111 贾母怕孙子为难，派人去看了几次。宝玉出园便去回贾母，被小厮们抱住，说他今天风头出尽，理该赏钱，于是把宝玉的荷包、扇坠一概解去。

112 黛玉听说忙问："我给你的荷包也给他们了？"说完生气回房。宝玉忙赶过来，把衣领解开，从里面将荷包解下给黛玉看。黛玉见他如此珍爱，心里很感动。

113 贾蔷从姑苏买回十二个女孩专学唱戏，这班小尼姑、道姑还学会了念佛诵经。另外又有位带发修行的妙玉冷僻清雅，与众不同。

114 正月十四夜，贾府上下都不曾眠，十五，贾母等按品服大妆。贾赦等在西门外，贾母等在荣府大门外恭候。

115 忽闻马跑声，太监击掌悄声说："来了来了！"先是红衣太监开路，后是龙旌凤，雉羽夔头，再是一柄七凤黄金伞，引来执帕、盂、拂尘等太监，最后才是八抬大轿中的贵妃。贾母等跪在路旁，有太监飞跑过来扶起。

116 元妃更衣后进入园中，只见灯火辉煌，花彩缤纷，说不尽的太平景象、富贵风流，一时感慨万千。

117 元春从园中出来，乘省亲车驾到贾母内室，一手挽贾母，一手挽王夫人，满心的话儿说不出，只是对着哭泣。邢夫人等也在一边流泪。

红楼梦

118 半天元春才强忍悲伤,让大家归座,依次见过。元春又专门见过薛姨妈、宝钗、黛玉。贾政至帘外问安,说园中匾、联都是宝玉题的。

119 元春非常欣慰,叫宝玉引导入园,登楼步阁,涉水缘山,选几处最喜欢的地方赐名,如"大观园"、"潇湘馆",又叫宝玉、宝钗、黛玉和各姐妹各赋诗一首,直至起驾回銮。

120 元妃回宫后,宁荣二府个个精疲力竭,只有宝玉没事可干,偏偏袭人又被哥哥接回家了。

121 宝玉闲逛，听见小书房里有呻吟声，进去一看是茗烟正按着一个女孩亲热。茗烟见是宝玉，忙跪下求饶，宝玉只取笑几句，便叫他领自己去袭人家。

122 袭人哥哥忙跑出来迎宝玉进屋，袭人急得忙问明原由才放下心来。

123 袭人叫宝玉坐她的垫褥，又把手炉、脚炉送上，拈了几个松子吹去细皮，用手帕托着给宝玉尝。宝玉见袭人脸上有泪痕。

124 宝玉回来，晴雯正躺在炕上生气，说奶娘李嬷嬷来胡闹，把宝玉留给袭人的牛奶也吃了。袭人正好进来，说她不想喝牛奶，倒想吃栗子。

红楼梦

125 宝玉信以为真，忙取栗子来剥。袭人说娘和哥哥要赎她出去。宝玉一听就哭起来。袭人说，要我不走得依我三条：一不许再说死，二不许再说读书的坏话，三不毁僧谤道，调脂弄粉，宝玉条条都依了。

126 第二天，袭人感冒加重，服完药卧床发汗，宝玉去找黛玉玩。黛玉正歪在床上歇息，便也在对面躺下。忽闻黛玉袖中有股幽香，便拉住袖子非要看看藏着何物。宝钗来了才肯罢休。

127 忽然宝玉房中闹起来，宝玉忙赶过去，见奶妈正骂袭人说她躺着不理人，就会装狐媚子哄宝玉。袭人委屈得哭起来。宝玉又不好说话，幸亏凤姐来了，奶妈吓得赶紧走了。

128 宝玉约宝钗一起去看望刚到的表妹史湘云，史湘云是贾母的侄孙女。黛玉也在那儿，听说宝玉是从宝钗那儿来，便赌气走了。宝玉连忙追出去。

129 宝玉对黛玉解释,黛玉赌气不听。宝钗过来拉宝玉:"史姑娘正等你呢!"黛玉越发气恼,自己伤心落泪。

130 宝玉又返回来劝,讲亲密的人不要被疏远的人离间,先到的不会被后到的超过等等,黛玉才止住哭。湘云追过来,"二哥哥"、"林姐姐"地乱叫,黛玉笑她咬舌,把"二哥哥"叫成"爱哥哥",湘云便追着打她。

131 夜里,黛玉、湘云同床而寝。早晨宝玉披衣进去,见黛玉睡得很安稳,湘云却把一弯雪白的膀子露在外边,宝玉轻轻地替她盖上。

132 待二人起身后,宝玉又过来坐在镜台边,用湘云的洗脸水擦了脸,又让湘云替他梳头,还拈了胭脂往嘴里送,被湘云打落。

133 宝钗来找宝玉，袭人暗示在隔壁，并埋怨宝玉姐妹间没分寸，黑天白日地闹。宝钗听了对她颇为敬爱。

134 宝玉回来，宝钗就出去了，宝玉问袭人怎么了，袭人冷笑道："我哪知道你们的事。"说着便在炕上合眼躺下。

135 宝玉要帮她解衣，被袭人推开手。宝玉无奈，断簪盟誓，袭人才起来帮他梳洗。

红楼梦

136 贾琏的女儿出水痘,他只得搬到书房去住,独寝了两夜,便觉难熬,于是让心腹小厮搭线,和厨子鲍二的老婆通奸。

137 女儿痊愈,贾琏仍回卧房,平儿收拾贾琏在外面的铺盖,抖出一绺青丝,便问贾琏:"这是什么?"贾琏央求平儿:"赏我吧。"

138 凤姐进来,问平儿:"拿的东西,少了还是多了?"贾琏在凤姐后面直使眼色,平儿笑道:"不少就罢了,哪还会多。"遮掩过去了。

139 过后,平儿问贾琏怎么谢她,贾琏搂着她"心肝儿肉"直叫,平儿笑道:"这是我一生的把柄。"贾琏冷不防将青丝夺下,又向她发泄对凤姐的不满。

140 宝钗要过生日，贾母拿出二十两银子为宝钗置酒定戏，又问宝钗爱听什么戏，爱吃什么东西。宝钗生性乖巧，尽依着贾母的喜爱说，贾母更加高兴。

141 生日那天，在贾母院里搭了个戏台，宝钗点了《鲁智深醉闹五台山》，宝玉问为何点这戏，宝钗说，戏中有几处极妙。

142 当唱道"赤条条来去无牵挂"时，宝玉拍膝叫绝。黛玉见他二人如此亲近，便讥讽说："安静看戏吧，还没唱《山门》，你倒《装疯》了。"

143 贾母特别喜欢那个演小旦的，叫过来赏些钱和果子吃。凤姐笑着说："这孩子扮相活像一个人。"宝钗、宝玉也看出来，只是不敢说。湘云嘴快："像林妹妹。"宝玉看着她，忙使个眼色。大家都笑起来。

145 宝玉本是好意，怕她二人伤和气，没想到自己得罪了两头，越想越没趣，便回去自己生气。

144 散戏后，湘云让丫环翠缕收拾行李回家，说不愿在这儿看人眼色。宝玉忙解释是怕林妹妹生气，她是个多心的人。谁知这话被黛玉听见了，也不理宝玉。

146 元妃差人送来一个灯谜，让大家猜，猜中的写在纸上送进宫去。又让每人也做个灯谜送进去。

147 晚上，太监将元妃所赐之物送给猜中者，只有迎春和贾环没有。元妃也猜了大家写的，众人都说猜对了。

148 贾母见元妃这么有兴致，越发高兴，便让大家都做灯谜，设宴取乐。贾政也来助兴，孩子们反倒拘束，贾母便撵他回去歇息。

149 贾政边走边想：贵妃做的爆竹，是一响而散之物，迎春做的算盘、探春做的风筝等，都是不祥之物。不免心中忧闷。

150 元妃省亲之后，怕大观园被封禁，命太监到荣府下谕，让家中宝玉和众姐妹进去居住。

151 宝玉正高兴之时，忽报贾政来叫，好似晴天一个炸雷，顿时扫兴之极。贾母忙叫两个嬷嬷陪他去，又吩咐不许贾政吓唬他。

152 宝玉来到母亲房中，见贾政与王夫人坐在炕上，地下一排坐着迎春、探春、惜春和贾环。

153 贾政叫宝玉进园后用心读书，王夫人嘱咐每天叫袭人服侍吃药。贾政问是谁起了袭人这样刁钻的名字，接着骂宝玉不务正业，专在浓词艳赋上下功夫。

154 贾政喝道："作孽的畜生，还不出去！"宝玉慢慢退出去，向金钏等丫环伸了伸舌头，带着两个嬷嬷一溜烟跑了。

155 宝玉回到贾母屋里，正好黛玉也在。宝玉问她住哪儿好，黛玉说她想住潇湘馆。宝玉拍手道，我住怡红院，这两处离得近，又都清静。

156 二月二十二是个好日子，哥儿姐儿们一齐搬进去，宝钗住蘅芜院，迎春住缀锦楼，探春住秋爽斋，惜春住蓼风轩，李纨住稻香村，宝玉、黛玉也如了愿。

157 自进园后，宝玉每天和姐妹们拆字吟诗，弹琴作画，好不快乐。但呆久了也有些烦，茗烟到书坊买了许多古今传奇小说，宝玉如获珍宝。

158 一天早饭后，宝玉拿了本《会真记》到沁芳闸边桃花树下细看。忽一阵风吹落桃花，花瓣落了满书、满身、满地。宝玉不忍践踏，便兜了那花瓣抖在池里，让其随流水而去。

159 黛玉肩扛花锄，锄上挂着花囊，手里拿着花帚走来，宝玉请她把地上的花瓣扫起来放到水里。黛玉说水里不干净，只有扫了装进花囊埋到土里，日后随土化了，才算干净。

160 黛玉看见宝玉的书，爱不释手。宝玉便自比是那"多愁多病的身"，把黛玉比作"倾国倾城的貌"。

161 黛玉听了，羞得满脸通红，骂道："该死的，学了些混话欺负我。"说着眼圈红了，要去告诉舅舅。宝玉忙求饶，说若有心欺负妹妹，将来变成大王八，等妹妹做了"一品夫人"病老归西时在她坟上驮碑。

162 袭人来叫宝玉，说大老爷病了，贾母让他去请安。黛玉回房，想起书中"花落水流红，闲愁万种"，不觉心动神摇。

163 宝玉正要出门，见贾琏刚从那边回来，说大老爷只是伤风感冒。贾琏身边一个人说："请宝叔叔安。"宝玉想了半天，才记起是五嫂家的芸儿，于是叫他有空去书房说话。

164 贾芸求贾琏给他找个事儿做。贾琏说："本来有个事，你婶子求我给贾芹了，说以后园里监种花木的事一定给你。"贾芸说："那我等着，只是叔叔别跟婶子说我来打听过。"

红楼梦

165 贾芸去找他开香料铺的舅舅，想赊些冰片、麝香，竟遭拒绝。出门碰上倪二，是个放高利贷的泼皮，听说贾芸用钱，竟慷慨地借他十五两银子。

166 第二天早晨，芸儿买了冰片、麝香，去给凤姐请安。

167 之后，芸儿到宝玉书房绮霰斋，一个丫头说："今儿没空，请二爷明日来。"这丫头十六七岁，伶俐白净，芸儿直勾勾地望着她。

168 第二天，芸儿在大门外，正碰上凤姐上车，凤姐笑着说："难怪你送麝香来，原来有事求我。"芸儿忙又恭维一番。凤姐便把监种花木的事许给他，让他去领二百两银子。芸儿还了倪二的钱，才去买树。

红楼梦

169 宝玉去北静王府玩，晚上回来竟不见一个丫头，只好自己去倒茶。"二爷别烫了手"，那个回芸儿话的丫头接过碗来。她叫小红，是新分到怡红院的粗使丫头。

170 王夫人叫贾环抄《金刚咒》。贾环拿腔作势，指使丫环们，丫环们都不理他，只有彩霞跟他好。

171 这时，宝玉进来，一头滚进母亲怀里。王夫人见他喝了酒，让他躺下叫彩霞拍他。宝玉和彩霞说笑，彩霞只不理他，宝玉便拉着彩霞手姐姐长姐姐短地撒娇。

172 贾环见他和彩霞闹，心中忌恨，便装作失手，将一盏蜡灯往宝玉脸上一推，宝玉"哎哟"一声大叫起来。

173 宝玉脸上烫起一溜燎泡，王夫人又急又气，边叫人给宝玉敷药边骂贾环。凤姐闻声赶来，埋怨赵姨娘教子不严，王夫人把赵姨娘叫来大骂一顿。

174 宝玉被送回房，袭人等都吓慌了。黛玉赶过来看他，宝玉怕她难过不让看。第二天见了贾母，宝玉说是自己烫的，贾母还是把跟他的骂了一顿。

175 马道婆来荣府请安，见宝玉被烫，就怂恿贾母多为孙子做功德善事，消灾免祸。贾母命每天除香烛供养外，再向海灯法像供奉五斤香油。

176 马道婆又到赵姨娘房中，听出赵姨娘对凤姐和宝玉忌恨如仇，便让她拿出全部积蓄外加一张五百两银子的欠契，答应作法，置凤姐和宝玉于死地。

红楼梦

177 黛玉去看宝玉,见凤姐、李纨、宝钗都在。凤姐问黛玉送去的茶叶可好喝,又笑着说:"喝了我们家的茶叶,得给我们家做媳妇。"黛玉红着脸要走,被宝钗拦住。

178 赵姨娘、周姨娘来看宝玉,众人都让座,唯凤姐正眼都不看。王夫人叫姑娘奶奶们回去见舅太太,宝玉却让黛玉留下有话说。凤姐笑着把黛玉往里推。

179 宝玉拉着黛玉只是笑,有话说不出。黛玉羞红了脸,挣着要走。突然,宝玉"哎哟"一声,头疼得跳了三四尺高,黛玉和丫头们慌了神。

180 贾母、王夫人、舅夫人等忙来看视，宝玉拿刀弄杖，闹得天翻地震。正乱时，又见凤姐手持钢刀杀进园里，多亏被几个胆大的婆娘按住。

181 叔嫂两人折腾了三天三夜，百般医治无效，贾母如同摘心肝似地哭个不停。赵姨娘在一边劝道："老太太也不必过于悲痛，哥儿已是不中用了。"贾母照脸上啐了一口，并一顿恶骂。

182 这时，隐隐传来木鱼声，人报是癞头和尚和跛足道人，说能治中邪之症。贾母忙让请进来。他们要过宝玉颈上那块玉念了几句，说："将二人放在一室中，非妻母不得冲犯，三十三天身安病退。"

183 到晚上，叔嫂两人渐渐苏醒，说腹中饥饿。喝了米汤，精神渐长。养过三十三日，宝玉不仅身体强壮，脸上的疤痕也消去了。

184 宝玉生病时，贾芸坐更看守，与小红熟了。小红见贾芸手里拿块手帕，像是自己丢的那块，想问又不好开口，便问坠儿，眼睛却盯着贾芸。

185 贾芸去看宝玉，见宝玉懒懒的，便告辞出来。

186 贾芸走出怡红院，见到坠儿，见四周无人便问坠儿，"刚才跟你说话的那个姑娘可叫小红？她问你手帕，我倒拾到一块，你给她吧。"贾芸便将自己的手帕给了她。

187 贾芸走后，宝玉似无睡意，袭人叫他出去走走。宝玉到潇湘馆，透过碧纱向房里望，见黛玉正在炕上伸懒腰，说："每日家情思睡昏昏。"宝玉掀帘进去。

红楼梦

189 原来是薛蟠骗宝玉，让他和冯紫英一起喝酒聚欢。宝玉喝得烂醉，晚上才回来。宝钗过来，喝茶闲说。

188 黛玉用袖子遮住脸："人家睡觉，你进来干吗？"宝玉忽念出《西厢记》的唱词："若共你多情小姐同鸳帐，怎舍得叠被铺床。"黛玉又恼了，说拿她取笑要去告状。宝玉正求饶，贾政传他。

190 黛玉见宝玉被叫去一直没回来，放心不下，晚饭后到怡红院来看看，见门关着，便叩门。丫头们拌嘴正不耐烦，听见敲门说："都睡了，二爷吩咐一概不许人进来！"黛玉听了，气怔了。

191 院里传来宝玉与宝钗的笑语声,她心中伤感,呜咽起来,悲戚之声惊飞了枝头宿鸟。这时,宝玉送宝钗出门,黛玉要质问宝玉,又怕当众羞了他,便垂泪回去了。

192 芒种那天,众姐妹在院里玩耍,只不见黛玉,宝钗便去潇湘馆叫她,见宝玉进去,怕黛玉猜忌,便回去了。

193 路上,见一对玉色蝴蝶迎风翩跹,十分好看,宝钗便取出袖扇去扑,那一双蝴蝶来来往往,将要过河。宝钗去池中滴翠亭上,听见小红正跟人说手帕的事。

194 小红多心,怕人偷听,于是推开窗子。这样,有人看见,只说是玩;走近了,也看得见。宝钗躲已不及,便心生一计。

195 宝钗故意叫:"颦儿,看你往哪儿藏!"说着往前跑去。小红和坠儿惊呆了,宝钗问:"你们把林姑娘藏哪儿了?"小红于是疑心黛玉偷听。

196 凤姐在坡上招手,小红便跑过去。凤姐让她去找平儿,把外屋盘里的一百六十两银子当面称给绣匠看,并把一个小荷包拿来。小红应答爽利,凤姐很满意。

197 小红回来找凤姐,却被晴雯奚落,说她攀高枝。小红忍了气,回凤姐话。凤姐让她去服侍自己,调理一下会有出息。小红求之不得。

198 黛玉夜里失眠起迟了,忙梳洗了出来,刚到院中,见宝玉进来,也不理他,向紫鹃交待完事,就往门外走。宝玉不明白怎么了,忙追出去。

199 宝玉找不见黛玉,知道她躲了,看见满地石榴花落地,便叹道:"她心里生气,也不来收拾这些花了。"于是收起花瓣,向黛玉的花冢走去。

200 忽听山坡上有哭声传来。原来黛玉昨夜吃了闭门羹,心中伤感,又逢残花季节,便感花伤己,边埋残花边哭,随口说道:"一朝春尽红颜老,花落人亡两不知。"不想宝玉听见,引发痴情,竟哭倒在山坡上。

201 黛玉见是宝玉,便啐了一口,抽身就走。宝玉赶上喊住她,披肝沥胆地哭诉自己的思情与冤屈。黛玉说出昨晚的事情,澄清误会,两人又好了。

202 宝玉去贾母房里，经过凤姐门口，凤姐叫他进去，写几个字，又提出要小红使唤，宝玉应了。小厮来叫，说外面有人请宝玉。

203 是冯紫英请他。到了冯家，薛蟠、唱小旦的蒋玉菡和妓女云儿都在，他们喝酒唱曲行酒令。宝玉与慕名已久的蒋玉菡换了汗巾子，又送了他一个扇坠。

204 宝玉回屋宽衣睡觉，袭人见自己送他的汗巾和扇坠没了，抱怨了一回。她告诉宝玉贵妃送来银子，让打三天平安醮，还赏了端午节礼物，宝玉和宝钗一样，林姑娘和二、三、四姑娘一样。

205 宝玉问："传错了吧，怎么林姑娘的不和我的一样，倒是宝姑娘的和我的一样？"袭人说每份上都写上了名字，不会错。宝玉便叫把自己的一份给林姑娘送去。紫鹃送回来说："林姑娘说昨儿也得了，二爷留着吧。"

红楼梦

206 第二天，宝玉见着黛玉，问她为什么不收昨日送去的东西。黛玉说："我没那么大福，比不得宝姑娘，什么金什么玉的。"宝玉一听"金玉"，起誓赌咒说他没这念头。

207 在贾母处，宝玉遇见宝钗，宝钗因那"金玉"之说及贵妃赐礼独与宝玉一样，便避着他。宝玉却偏向宝钗要红麝串子看看。

208 宝钗将串子从手腕上褪下来。宝玉对着她的雪白的一段酥臂，竟看得呆了，忘了去接串子。他觉得宝钗比黛玉另有一种妖媚风流。黛玉笑着一甩手帕，把宝玉吓了一跳。

红楼梦

209 凤姐说起在清虚观打醮的事，约宝钗、宝玉、黛玉去看戏。宝钗嫌热不想去，听说贾母要去并且让大家都去，她才不得不去。

210 初一这天，荣府的车与轿乌压压地占了一条街，人们都站在街两边看热闹。

211 贾母的轿刚到山门，就听钟鸣鼓响，张法师率众道士在路旁迎接。一个小道士躲藏不及，慌慌张张一头撞在刚下轿的凤姐怀里，凤姐照他脸上给了个耳光，把他打了个筋斗。众媳妇都跟着喊打。

212 贾母听见，忙问原由，叫别吓着小道士，又把他带来，给了钱让买果子吃。

红楼梦

213 贾珍叫管家林之孝把住二门,说小姐太太都来了,闲人不得入内,又叫贾蓉赶快叫他娘来伺候老太太。

214 贾母等人正瞻拜观玩,贾珍把张道士引来了。这张道士曾是荣国公的替身。他向贾母问安,又说起宝玉的婚事。接着又借过通灵宝玉让道友们见识一番。

215 贾母上楼归座,戏未开台,先来了许多亲戚请安送礼,宝玉挑了个赤金点翠的麒麟揣进怀里。下午,贾母懒怠去,宝玉因道士提亲生气,加上黛玉中暑也不去了。

216 黛玉说:"你只管看戏去。"宝玉觉得黛玉奚落他,说:"我白认识你了。"黛玉说:"张道士提亲,你怕阻了你的好姻缘,拿我使性子。"二人你言我语,直闹到宝玉砸通灵,黛玉剪玉穗。荣府上下没人不晓。

217 贾母、王夫人赶来,见两人都不说话,便把紫鹃、袭人骂了一顿,带着宝玉离去。薛蟠生日,贾母想让两人借看戏和好,可两人谁都不去。贾母叹道:"不是冤家不聚头呀!"

218 其实宝玉、黛玉都各自后悔,但又都不去采取主动,都闷闷的,若有所失。这边袭人劝宝玉,那边紫鹃劝黛玉。贾母的话传到二人耳中,都不免细嚼其中的滋味。

219 宝玉在院外叫门,紫鹃笑着说:"赔不是来了。"黛玉不许开门,紫鹃不理会,让宝玉进屋。宝玉凑近说:"我若不来,让别人来劝咱们,岂不倒生分了。"

220 黛玉品味这句话,心有所动,嘴上却说:"你就当我回去了!"宝玉说:"我跟你回去。"黛玉又说:"你就当我死了。"宝玉说:"我做和尚。"黛玉说:"你家有几个姐姐妹妹,要都死了,你有几个身子去做和尚?"

红楼梦

221 宝玉自知失言，窘红了脸。黛玉本来哭着，见他这样，便咬牙用指头在他额上戳了一下，并哼了一声，叹了一口气。宝玉拉了黛玉的手，黛玉说："谁跟你拉拉扯扯的。"

222 "好了！"二人吓了一跳，原来是凤姐闯进来，说贾母不放心，叫她来瞧瞧。她便一手牵一个去见贾母，好让老祖宗放心。

223 到贾母处，凤姐快嘴利舌戏笑一番，贾母哈哈大笑。宝玉见宝钗在场，忙对未去祝贺薛蟠生日道歉，又问她为什么不去看戏。宝钗说怕热，宝玉笑道："怪不得他们拿姐姐比杨妃，原来也体丰怯热。"

224 宝钗大怒，又不好发作。黛玉见宝玉奚落宝钗，心里得意。她问："宝姐姐，你听了什么戏？"宝钗笑道："听的是李逵骂了宋江，后来又赔不是。"宝黛二人羞红了脸。

225 午歇时，宝玉到王夫人房中，母亲睡了，金钏在旁替她捶腿。金钏叫宝玉去东院捉幽会的环哥与彩云。王夫人突然起来打了金钏一个嘴巴，还要把她赶出荣府。

226 宝玉见母亲发怒，忙溜了。在大观园蔷薇花架下，他见蹲着个女孩，用簪子反复在地上写"蔷"字，像有心事在煎熬。忽然骤雨倾盆，宝玉忙催她去避雨，自己却淋得透湿。

227 宝玉心烦，原来天下的女孩不都是想着自己的。回到怡红院，他敲门许久却没人开，原来明天是端阳节，文官等戏子进园来玩耍嬉戏，没人听见敲门。袭人闻声赶来，宝玉只当是丫头，抬腿一脚，踢在她肋上。

228 只听"哎哟"一声,宝玉见错踢了袭人。袭人怕人笑话,忙说没事,催他去换衣。夜里,宝玉听见袭人呻吟,过去撩开衣服一看,只见青紫一片,她还咳出一口血来,吓得宝玉慌了神。

229 端阳节,王夫人请薛家母女来过节。宝玉见宝钗冷淡他,知是昨天缘故。众人见宝玉没精打采的,凤姐也知王夫人为金钏之事不自在,也就不欢而散了。

230 宝玉闷闷不乐地回到房里,晴雯帮他换衣时失手跌断了扇子骨,宝玉便说她两句。不想晴雯说他昨天踢袭人,今天又寻自己的不是,宝玉气得浑身打颤。

231 袭人过来劝解,晴雯却夹枪带棒地说她,气得袭人脸发紫。宝玉以为晴雯想走才故意闹事,要回王夫人打发了她,袭人和众丫头忙跪下替晴雯求情。

233 黛玉走后,宝玉被薛蟠请去喝酒,晚上才回来。他见晴雯正躺在院中凉榻上,就让她去拿果子来醒酒。晴雯说不敢,怕跌了扇骨又摔了果盘。宝玉说:"什么东西只要你给它派上个用场,譬如扇子要撕着玩也可以,只是别拿它出气。"

232 宝玉只得叫众人散去。可巧黛玉进来,以为宝玉和袭人吵架,便嫂子长嫂子短地开玩笑,袭人叫她别混说。

234 晴雯听了,便要撕扇子,宝玉递给她。晴雯果然撕了,宝玉叫道:"撕得好,再撕响点!"夺过麝月的扇子递给晴雯,晴雯又撕了。两人哈哈大笑。

红楼梦

235 第二天，史湘云来了，说有礼物送给袭人姐。黛玉笑着说："你哥也得了好东西，要送给你呢。"

236 湘云到各处请了安，便和翠缕到大观园去。在蔷薇架下，她拾到一尊金麒麟，比自己佩的那个还大还有文采。

237 湘云来到怡红院，宝玉说："我得了一件好东西等你呢。"说着满身乱摸，却不见了，便问袭人。湘云拿出那麒麟，问："是不是这个？"宝玉一见，非常高兴。

238 袭人求湘云给宝玉做双鞋,湘云似有不悦之意:"听说把我做的扇套子都剪了,林姑娘会剪也该会做呀。"宝玉忙解释说:"原来不知道是你做的。"

239 这时,贾政派人叫宝玉去见贾雨村,宝玉很厌倦。湘云劝他常会会这些人,谈些仕途学问。宝玉一听便下逐客令。袭人忙说:"别劝他说这些话,上回宝钗劝,也给宝钗难堪。"

240 黛玉来到门外,她怕金麒麟再撮合出宝玉、湘云的好事来,特来察看,不想正听宝玉说:"林姑娘就从不说这些混帐话,不然,我也早和她生分了。"黛玉听了,又悲又喜含泪而去。

241 宝玉出来,见黛玉似在前面拭泪,忙赶上前来。黛玉便又提起"金"和"麒麟"的话,宝玉说:"你放心,你都是不放心才弄了一身病。"黛玉听了这肺腑之言,如轰雷掣电,怔了一会儿,回身便走。

红楼梦

242 宝玉却站着发呆，袭人追来送扇子，宝玉竟没看出是谁，只管说："好妹妹，我也为你弄了一身病，睡梦里也忘不了你。"袭人听了又惊又怕，推他快走，宝玉见是袭人，羞得赶忙跑开。

243 宝钗走过来问湘云在怡红院干什么，袭人提起做鞋的事，宝钗怪袭人不体谅人，说湘云家里怕破费，要她自己做嫁衣呢，不如由自己来做。正说着，有人来说金钏投井死了。

244 宝钗忙来到王夫人处。王夫人只说金钏弄坏一件东西，一时生气打了她，撵了出去，谁知她这么大气性。宝钗百般劝慰王夫人，使她心安，又去拿自己的衣服送金钏儿妆裹。

245 宝玉听说金钏儿死了，心中感伤万分。他刚刚被王夫人数落一顿，于是乘宝钗过来送衣服，便抽身出去，不想转过屏门时却与贾政撞个满怀，结果又被责骂一顿。此时，忽有人来报："忠顺亲王府里来人要见老爷。"

246 贾政忙至堂前见客。原来是忠顺王府长史官来找宝玉，追寻王爷的小旦琪官。琪官即蒋玉菡。贾政唤来宝玉，宝玉先不肯讲，后长史官抖出他与琪官交换的汗巾，他才不得不说出琪官下落。

247 贾政送客返回，见贾环和几个小厮乱窜，说是井里淹死一个丫头，是宝玉强奸未遂，受辱自杀。贾政大怒："快拿宝玉，若有人传信进去，立刻打死。"

248 那宝玉被贾政的小厮们拿下，按在板凳上打了十几下。贾政嫌打得轻，自己夺过板子狠命又打了三四十下，宝玉渐渐气弱声嘶，连哽咽声也哼不出来了。

249 王夫人闻讯赶来，一把抱住板子苦苦哀求。随后贾母赶到，哭着要回南京去，贾政忙跪在地上叩头相留。贾母让人把宝玉抬回屋去。

红楼梦

250 等众人散去,袭人帮宝玉褪下中衣,只见他腿上到处是血斑、青紫,肿了有四指宽,不由得心疼落泪。宝钗来送药,也泪光闪闪的。细问,始知忠顺王府找琪官是薛蟠挑唆来的。

251 宝钗走后,王夫人将袭人叫去。宝玉昏昏沉沉睡去,一时见蒋玉菡走进来,诉说忠顺王府拿他之事;一时又见金钏走来,哭诉为他投井之事。宝玉醒来,却见黛玉在哭,两眼肿得桃儿一般。

252 王夫人问了宝玉的伤痛,拿出两瓶上贡的香露让袭人给宝玉吃。袭人说能否让宝玉搬出大观园,男女大了怕生事。王夫人听了,越发喜欢袭人了。

253 宝玉吃了香露，打发袭人去找宝钗借书。然后他又让晴雯去看黛玉，并顺手交给她两条旧手帕，说："让她放心。"晴雯莫名其妙。

254 晴雯拿了手帕到潇湘馆，黛玉已睡下，让她放下手帕回去。黛玉体味出宝玉的心意，起身研墨蘸笔，在手帕上写下几行诗句。

255 薛家此时风波正起。薛蟠酒醉回家，问宝玉挨打的事。薛姨妈说："还不都是你闹的。"薛蟠矢口否认，宝钗也说他两句，他却说宝钗要嫁宝玉，所以护着他，把宝钗气得哭起来。

256 第二天早晨，宝钗去看母亲，在花阴下遇见黛玉。黛玉见她无精打采的，眼上又有泪痕，便说："就是哭出两缸泪来，也医不好棒伤。"

257 黛玉往怡红院去，见人们一拨一拨地去看宝玉，只没见凤姐。正想着，见贾母搭着凤姐的手来了，黛玉不觉泪珠满面，想起有父母的种种好处。

258 宝钗见到母亲，提起昨晚的事，不觉又流下泪来。薛蟠忙出来作揖赔罪。

259 薛家母女来看宝玉。贾母还没走，问宝玉想吃什么，宝玉提起荷叶小莲蓬汤。贾母一叠声地说去做，凤姐忙让人去找汤模子。

260 凤姐说弄一回不容易，叫多做点，让老太太、太太、姨妈都尝尝。贾母说她嘴乖，难怪人疼她。宝玉说："不爱说的就不疼吗？"贾母说各有长短，只宝丫头最全。

261 莲蓬汤上桌后，贾母让玉钏给宝玉送去。宝钗说宝玉求莺儿打络子，叫她也一起去。

262 宝玉见到玉钏，想起她姐姐金钏的死，更加惭愧，一个劲讨好玉钏。玉钏虽满脸怒气，见宝玉仍笑脸相陪，反不好意思了。

263 玉钏走后，莺儿来为宝玉打络子，宝钗也过来看，说："为什么不打个络子把玉络上？"说罢，便挑了金线配黑珠儿线来打络子，众人都说好看。

264 宝玉渐渐恢复了，贾母还不放心，又亲口关照跟贾政的人，凡会客等事一概不见，打重了，要养几个月才能走。宝玉越发得意了。

265 金钏死后，常有人往凤姐处送礼，想顶金钏的缺。凤姐送什么收什么，准备等送足了再去回王夫人。

266 这天，凤姐问王夫人补丫头的事，王夫人让把金钏的月银给玉钏，不补人了。又让从她名下拿二两银子一吊钱给袭人，并说以后凡赵姨娘、周姨娘有的，也有袭人的。最后，她还问二位姨娘的月银是否如数发了。

267 凤姐出来骂道："从今后我要干几样刻毒的事了，抱怨给太太听我也不怕，不得好死的下作东西，以后扣月银的日子还有呢。"

268 宝钗到怡红院看宝玉，宝玉睡着了。袭人起身去倒茶，宝钗便坐在袭人刚坐的椅子上，拿扇子替宝玉驱蚊。黛玉和湘云来给袭人报喜，在窗外见状，掩笑而去。

269 凤姐派人叫袭人去，宝钗便同袭人一起出来。晚上，袭人悄悄告诉宝玉，她已是王夫人的人了。宝玉高兴极了。

270 宝玉玩腻了，去梨香院找小旦龄官。龄官不理他，也不肯唱，还一个劲躲他。宝玉细一看，她就是那天在蔷薇架下写"蔷"的那一个。

271 贾蔷来给龄官送鸟，为逗她高兴还让鸟儿玩个名堂。龄官火了，说贾蔷是取笑她，让把鸟放了。宝玉看呆了，才明白"世上的缘分各有分定呀"。

红楼梦

272 贾政出门任职了，宝玉更加放心玩耍。一天探春发了几个帖，提议结个诗社。宝玉高兴地立即就往秋爽斋去，路上碰上贾芸派人送来两盆白海棠，便叫送回屋去。

273 姐妹们早已在秋爽斋就座了，不一会儿，李纨也赶来，自荐掌坛。黛玉提议每人起个雅号，接着又订日期，罚约。

274 探春立即要开诗社。李纨说刚才看见两盆白海棠，何不咏它。于是众姐妹以"门"为韵，每人以三寸梦甜香燃尽为限作诗，结果人人皆成。李纨评宝钗第一，黛玉第二。诗社由此定为海棠诗社。

275 宝玉回来，见袭人正差人给湘云送做好的针线和果品，便拍手说："这诗社少了她还有什么意思！"立逼贾母派人接湘云。

276 湘云来后,宝玉把始末原由告诉她,李纨则说要她先限韵和诗,才能入社,湘云一气写出两首。

277 宝钗约湘云同寝。湘云计划着如何设东拟题,宝钗却说她一个月才几吊钱,应留做盘缠,不如让薛蟠要几篓螃蟹来,设个螃蟹席,连贾母都请了,既体面又省钱。宝钗又设菊十二个题,湘云很赞同。

278 第二天,凤姐领贾母、王夫人到藕香榭,螃蟹宴在此设席。贾母触景生情,想起小时候在"枕霞阁"失足落水碰破额头,至今还留有指头大的窝儿。凤姐乖巧:"那是老祖宗盛福用的。"众人大笑。

279 凤姐和李纨伺候贾母、王夫人，东道湘云也来帮忙，凤姐叫她去吃，自己替她张罗。鸳鸯和凤姐逗笑，凤姐说："你少作怪，你琏二爷看上你了，要讨你做小呢。"鸳鸯用油手抹她，大家一阵哄笑。

280 贾母不敢多吃，王夫人怕水边风大，挽贾母离席。湘云让重摆一桌，把十二个题挂在柱上，又说了不限韵的道理，宝玉最是赞同。

281 众人都在默想，黛玉依栏杆钓鱼；宝钗俯窗槛玩着一枝花，湘云默一会神，又张罗众人吃蟹；探春、李纨、惜春在垂柳中看鸥鹭；迎春在花下用针穿茉莉花；宝玉则东看看西瞧瞧，跑来跑去。

红楼梦

282 宝钗提笔勾了《忆菊》；黛玉勾了《问菊》、《菊梦》、《咏菊》；宝玉勾了《访菊》、《种菊》；探春勾了《簪菊》；湘云勾了《对菊》、《供菊》。诗成后，黛玉荣登冠首，宝玉第末。

283 大家又吃蟹喝酒，宝玉说吃蟹赏桂也不可无诗，便提笔做了一首。黛玉也写一首，旋即又撕了，说宝玉做得好。宝钗咏诗一首，被大家称为"吃蟹绝唱"。

284 散席后，袭人和平儿一路回去，问平儿这月怎么还不放月钱，平儿让她别问，再等几天。袭人一再追问，平儿才说凤姐挪去放高利贷了，要等别处利钱收来才发。

285 平儿回房，见刘姥姥又来了，说今年丰收了，送些土特产给姑奶奶们尝尝。周瑞家的进来，说老太太请姥姥去见一见。

286 原来周瑞家的去告诉凤姐时被贾母所见，说正想找个老人聊天呢，叫过去见见。刘姥姥一听竟不敢去，再三哄劝，才跟平儿等人一起过去。

287 贾母和园中姐妹都在座。刘姥姥一见贾母便施大礼。贾母和刘姥姥闲话，听她讲乡下新闻，听得很有兴趣。

288 凤姐见合了贾母的心，便领刘姥姥吃饭、洗澡、换衣服，又找些话说。刘姥姥讲到风雪夜庙里有个成精的女子出来抽柴的故事时，宝玉听得入了迷。

289 第二天，宝玉给了茗烟几百吊钱，让他按刘姥姥说的方向去找那座庙。茗烟奔走了一天，只找见一座破土地庙，哪有成精的女子，宝玉大失所望。

290 贾母和王夫人商议着为湘云还席。宝玉提议不摆大席，弄几样各人爱吃的，每人摆一个茶几一个什锦盒。贾母欣然赞同。

291第二天，天气晴朗，李纨清早就去园中布置。凤姐的丫头丰儿带着刘姥姥进来，说外头的茶几怕不够，让到大观楼上拿些下来使。李纨便让丰儿去拿。

292 刘姥姥也跟着丰儿上楼，只见乌压压堆着些围屏、桌椅、花灯，五彩炫耀，各有奇妙。

293贾母来了，李纨让碧月捧了一盘折枝菊花过来，贾母拣了一枝大红的簪于鬓上。凤姐拉过刘姥姥，横三竖四将一盘花插了她一头。

红楼梦

294 刘姥姥笑着说："我年轻时也风流过，如今可是老风流了。"到沁芳亭，丫头扶贾母坐下，让刘姥姥坐在旁边，问她园子好不好？刘姥姥说："比画上的还强十倍呢。"

295 贾母领刘姥姥到潇湘馆。刘姥姥让出石子路让贾母等人走，自己走长满青苔的土路，琥珀提醒她小心别滑倒，她说："不碍的，我走惯了。"不料，话音未落，一跤跌倒，逗得众人拍手大笑。

296 到了潇湘馆，刘姥姥见案上有笔墨，架上摆满书，便问这是哪位哥儿的书房。贾母说这是她外孙女的屋子，刘姥姥咋舌不已。

红楼梦

297 离开潇湘馆,贾母带刘姥姥去坐船。凤姐、李纨、探春等先到秋爽斋备饭。鸳鸯说:"老爷们喝酒都拿篾片相公取乐,今天咱们也得了一个。"于是和凤姐商议一番。

298 一会儿贾母来了,随便坐下,鸳鸯对刘姥姥悄声嘱咐一番。贾母刚说"请",刘姥姥便站起来说道:"老刘,老刘,食量大如牛,吃个老母猪,不抬头!"众人先是一怔,继而捧腹大笑。

299 大家边喝酒边行酒令。刘姥姥洋相百出,逗得众人哄堂大笑。

300 刘姥姥怕打了瓷杯,要用木杯喝酒,凤姐便让人取了那黄杨根雕的十个大套杯来,说要喝得喝一套。刘姥姥大叫:"阿弥陀佛,我还是用小杯吧。"

红楼梦

301 凤姐夹菜送到刘姥姥嘴里,说是茄子。刘姥姥说:"别哄我,茄子可跑不出这味来。"凤姐告诉她怎么做的,刘姥姥摇头吐舌说:"怪道这个味,这得多少只鸡配它。"

302 大家过去看了戏,刘姥姥喝了酒又听了音乐,高兴得手舞足蹈。走到省亲别墅牌坊下,刘姥姥以为是大庙,趴下就磕头。众人刚笑,不想刘姥姥肚子一阵乱响,向丫头要了张纸就要解衣,大家忙说:"这可不行。"

303 刘姥姥在茅厕里出来迷了路,顺着石子路走进一门,拐两拐,迎面见一个女孩含笑迎出来,忙笑道:"姑娘们把我丢了。"说着便拉她的手。不料,她"咕咚"一声碰在板壁上,原来是一幅画。

304 她又推开一门,只见四壁玲珑,连地面都是碧绿凿花,左一架书,右一架屏,使她找不着出去的门。刘姥姥酒醉困乏,看见一副床帐,原想坐下歇歇,不料竟躺下睡去。

305 这边众人找不见刘姥姥,婆子到茅厕去找也没有,袭人估量这路通往怡红院,便回去看看。

306 袭人进了门,听见鼾声如雷,闻见酒屁臭气,见刘姥姥扎手舞脚地躺在宝玉床上,睡得正香呢。袭人忙将她推醒。

307 刘姥姥跟了袭人出来,问这是哪位小姐的绣房。袭人告诉她是宝二爷的卧房,刘姥姥吓得不敢作声。见了众人,袭人只说她在草地上睡着了。

308 刘姥姥来辞凤姐,凤姐正为女儿的病犯愁,便说:"借你的寿给姐儿取个名吧。"刘姥姥听说是七月七生辰,便取名巧姐儿,说以毒攻毒,可逢凶化吉。

309 刘姥姥随平儿到外屋，只见堆了满炕东西，纱绸、衣裳、果点，还有王夫人和凤姐送的一百零八两银子，于是千恩万谢。

310 第二天清早，刘姥姥来向贾母辞行，不料贾母中了风寒，还请太医开了方子。众人闻知，都过来请安。

311 刘姥姥进屋辞行，鸳鸯又送她几大包东西及药品，并叫了车，还让小厮们到平儿处取了东西，送刘姥姥回乡下去。

312 宝钗邀黛玉到蘅芜院坐,并笑道:"你跪下,我要审你。"原来昨日行酒令,黛玉一急将《西厢记》的词说出来了。宝钗教导她一番,黛玉心中暗暗服气。

313 正说话间,素云请她们去稻香村。李纨说:"诗社没起,四丫头要告假。"原来昨日贾母让惜春画出大观园来,李纨说给一个月假,惜春说不够。

314 黛玉取笑:"是光画园子,还是连草虫人物都画?昨日那'母蝗虫'可不能不画。"众人笑得前仰后合。

315 宝钗说作画要给半年假,又派宝玉帮她出去请教相公们,宝玉欣然答应。

316 宝钗叫宝玉记个单子，好去筹备笔彩纸砚。宝钗一件件数着，说得头头是道，令众人叹服。只有黛玉对探春悄悄说："瞧瞧，连水缸箱子也来了，把她的嫁妆单子也写上了。"探春笑着叫宝钗拧她的嘴。

317 贾母要给凤姐过生日，要改以往个人送礼的习俗，让大家凑份子。

318 贾母召来薛姨妈、邢夫人、宝玉和姑娘们，还有那些有头有脸的管事们，让大家都凑。贾母、薛姨妈凑二十两，以下按身份递减，共凑了一百五十两银子。

319 贾母让尤氏操办凤姐的生日，尤氏到凤姐房里商议怎么办，凤姐让她只按贾母眼色行事。

321 一进凤姐家，见她已将银子包好，说都齐了。尤氏清点，发现少了李纨的。凤姐笑着说："那么多还不够，差一份算了。"尤氏便将平儿那份还她，说："只许你主子作弊，就不许我作情？"

320 第二天一早，就陆续有人送银子来，只少凤姐收的贾母、王夫人、姑娘们和底下姑娘们的，尤氏便去荣府一问。

322 尤氏找鸳鸯商量，想讨贾母欢心，把鸳鸯的银子退了。此外，她把周、赵姨娘的份子也退了，二人千恩万谢。

323 凤姐生日那天，尤氏操办得很热闹，可单单宝玉没有来，贾母命丫头去找，丫头回话说有个朋友死了，宝玉去探丧了。贾母听了心中不高兴，让人接去。

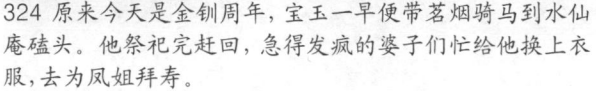

324 原来今天是金钏周年，宝玉一早便带茗烟骑马到水仙庵磕头。他祭祀完赶回，急得发疯的婆子们忙给他换上衣服，去为凤姐拜寿。

325 宝玉见了贾母，又向凤姐行礼。他推说北静王的一个爱妾没了，去给他道恼，这才遮掩过去。

326 贾母说今天一定要叫凤姐好好玩乐，并让大家轮流敬她。

327 凤姐自觉酒涌心头，便回家歇息。平儿扶她到廊下，见两个丫头在探哨，喝住追问，原来是贾琏与鲍二媳妇在房里通奸。凤姐冲到窗下，正听那女人说："你那阎王老婆死了，把平儿扶正还好些。"

328 凤姐气得浑身乱颤，回身先打平儿，再踢门进去。她抓住鲍二老婆就打，边打边骂，连平儿也捎着。平儿气得打那女人出气，贾琏便打平儿，平儿急了，跑出去找刀子寻死。

329 凤姐一头撞到贾琏的怀里，贾琏拔出剑来要一齐杀了干净。凤姐哭着往贾母那边跑去。

红楼梦

330 凤姐扑到贾母怀里,说贾琏和鲍二媳妇商议要杀她,把平儿扶正。正说着贾琏持剑追来,不顾那夫人呵斥,说贾母宠坏了凤姐。

331 贾母气得让人把贾赦叫来,贾琏才住嘴溜走。邢、王夫人开导凤姐,贾母也说:"小孩子们年轻,馋嘴猫似的,哪位不这么着。从小世人都打这么过的。"

332 李纨把平儿拉进园里,宝钗劝慰了半天,贾母也传过话来,说她受了委屈,她才渐渐平息。宝玉请平儿到怡红院来,换了衣服,洗了脸,还替她熨了衣服、手帕,总算有机会为平儿尽心了。

333 平儿和李纨住了一夜,凤姐跟贾母睡。第二天,贾母将贾琏叫过来教训一顿。贾琏跪着认了错,又向凤姐、平儿赔了不是。

334 三人回至房中,凤姐见没人,又向贾琏讨了一回理,流了一回泪。正说话间,婆子来报:"鲍二媳妇吊死了。"

335 凤姐怒道:"死了罢了,有什么大惊小怪的。"林之孝家的来说对方娘家要告状,凤姐说:"不怕!"贾琏悄悄许了二百两银子,了了这场官司。

336 凤姐正抚慰平儿,众姐妹进来,请凤姐去诗社当监察。惜春画园子还缺东西,请凤姐或给或买。凤姐笑道:"当监察是假,让我拿出银子来才是真。"又说李纨小气,这点钱还来要。

337 李纨也说她专会打细算盘,算计人,昨日还打了平儿,亏她伸得出手来。凤姐说:"哦,我知道了,你们不是为诗社来找我,是替平儿报仇来了。"于是当着大家给平儿赔不是,让担待她"酒后无德"。大家都笑了。

红楼梦

338 一个丫头扶着赖嬷嬷进来，说她孙子捐了个县官，都是沾了主子的光，所以倾家也要摆三日酒，请大家过去乐乐。凤姐、李纨都说一定去。

339 这时周瑞家的进来，跪求别撵走自己的儿子，原来凤姐生日那天，他喝酒误了事。赖嬷嬷也帮着求情，凤姐抹不开赖嬷嬷面子，便让人打四十板子了事。

340 黛玉每到春分、秋分之后便犯咳疾。宝钗劝她找个好大夫瞧瞧，又说光吃人参、肉桂不行，每天用上等燕窝熬粥吃比吃药还强。

红楼梦

341 黛玉很感动,说自己父母早亡,又没兄弟姐妹,寄人篱下,不愿意惹人闲话。宝钗说要给她送燕窝来。

342 屋外淅淅沥沥下起雨来。黛玉翻开《乐府杂稿》,内有《秋闺怨》、《别离怨》等词,读后不觉伤感,于是写了《代别离》一首。她吟罢刚刚搁笔,丫环说:"宝二爷来了。"

343 宝玉头戴箬笠,身披蓑衣走进来。黛玉笑道:"哪来的渔翁?"宝玉问了问她吃饭服药的情况。宝玉走后,宝钗派人送来了一包燕窝。

344 有一天,邢夫人悄悄告诉凤姐,说贾赦看上了鸳鸯,怕贾母不给,问她有什么办法。凤姐直说不行,邢夫人变了脸。凤姐只好顺着她说:"今儿老太太高兴,要说今儿就说去。"

红楼梦

345 邢夫人说先不找老太太要，而是悄悄地告诉鸳鸯，只要她点了头，老太太也没办法，人去不中留嘛。

346 凤姐暗想："我要是先回去，万一鸳鸯不依，说我走漏风声，倒没意思。"于是请邢夫人坐她的车一起过去。

347 车到贾母处，凤姐说："太太先去老太太那儿吧，若我跟了去，老太太问我去做什么的，倒不好，不如我过会儿再来。"邢夫人听了有理，就下车到贾母那儿去了。

348 邢夫人与贾母说了一会儿话，就借故到鸳鸯卧房去了。鸳鸯正做针线，邢夫人把事儿透给她，鸳鸯只低头不语。

349 邢夫人要拉她去见贾母，鸳鸯挣脱了手。邢夫人以为她害臊，非得她母亲问她才行，于是去找凤姐商量。

350 凤姐回屋，把此事告诉平儿。平儿说："鸳鸯未必肯。"凤姐让平儿出去逛逛，说邢夫人讨了没趣一定会过来，当着下人脸上不好看。

351 鸳鸯料定邢夫人找凤姐商量完了还会来找她，便到园中躲着去了，恰巧遇到平儿。平儿笑道："新姨娘来了！"鸳鸯说："就是太太死了，聘我做正房，我也不去。"

352 话音未落，山石后转出袭人，她笑道："好个没脸的丫头。"平儿把来龙去脉一说，袭人叹道："这大老爷也太好色了。"鸳鸯表示：一是不去，二是削发为尼，三是一死了之。

红楼梦

353 这时鸳鸯的嫂子来了,是邢夫人让她来劝说的。鸳鸯最恨她嫂子见利忘义,所以她一开口,便连损带骂。袭人、平儿也帮着骂。

354 鸳鸯嫂子恼羞成怒,来回邢夫人,见凤姐在场,不敢说平儿,只说袭人也说了很多难听的话。邢夫人问还有谁在跟前,她才说出平儿。凤姐厉声让去找平儿,丰儿会意,说林姑娘叫平儿有事去了。

355 晚上,邢夫人回贾赦。贾赦要派人去南京找鸳鸯的爹娘,后来听说她父亲快死了,母亲是聋子,就又找她哥哥去劝,还是没用。贾赦怒道:"除非她别嫁人,否则逃不出我的手心。"

356 鸳鸯的哥哥又来劝,鸳鸯便去见贾母,正好王夫人、薛姨妈、园内姐妹们都在。鸳鸯在贾母跟前跪下,哭着诉说,又说如果贾母也逼她,她就一刀抹死,说着抽出剪刀要铰头发。

357 众人忙忙上前拉住,贾母气得浑身打颤,痛骂不肖的儿子盘算她,连身边有个明白人也想要去。

358 邢夫人不知贾母已知鸳鸯的事,过来打听消息。贾母一声不吭,众人赶快借故离去。等人走尽,贾母才呵斥邢夫人,说自己离不开鸳鸯,贾赦要什么人,她出钱去买。

359 贾母请薛姨妈、凤姐玩牌,叫鸳鸯坐在身边,帮着洗牌。每到关键时刻,鸳鸯就碰碰凤姐,凤姐假装出错牌,贾母赢得十分开心。

红楼梦

360 邢夫人回屋，把老太太的话告诉贾赦。贾赦不敢见贾母，告病不去请安，又花了八百两银子买了个十七岁的女孩，叫嫣红。

361 赖嬷嬷孙儿的喜宴上，贾母、王夫人、薛姨妈及众姐妹都去了。赖家也请了一些长官和世家子弟，其中有爱串戏的柳湘莲。薛蟠见他貌美年轻，以为是戏子，便纠缠调戏。

362 柳湘莲见薛蟠如此，便暗作计谋，与宝玉道别离去。薛蟠尾随至荒郊，柳湘莲挥拳痛打了他一顿，然后扬长而去。

363 贾珍见席上少了柳湘莲和薛蟠，便让贾蓉去找。贾蓉走了二里多地，才见薛蟠满身泥水，靠在树上呻吟。

365 几天后，薛蟠疼痛虽愈，伤痕未平，愧见亲友。正好薛家店内张德辉要回乡算年账，再运些纸札香料来卖，薛蟠便说想随他去学做生意，其实是想躲出去一阵儿。

366 薛姨妈只得依他，并特摆酒饭请张德辉来，自己隔帘嘱托他好好照管自己儿子，还另派了五个仆人与儿子同行。

364 薛姨妈散宴回来，见香菱哭肿了眼睛，问明原由，便要告诉王夫人捉拿柳湘莲。宝钗深知哥哥为人，劝住母亲。

红楼梦

367 薛蟠走后，薛姨妈将外边书房的东西搬进来收着，又让跟去的男子之妻一起进来住宿。宝钗也让香菱跟她进园住，香菱喜不自禁。

368 宝钗领香菱刚入园，平儿就来了，宝钗请她转告凤姐。平儿是来讨治伤药丸的，因为贾琏被他父亲贾赦棒打了一顿。

369 香菱见过众人，又见宝钗往贾母处去了，自己便来到潇湘馆，请黛玉教她作诗。黛玉很高兴，教她写诗要诀，还将《王摩诘全集》借她，让她用心攻读。

370 香菱回到蘅芜院，诸事不顾，只在灯下用心研读。第二天，她又找黛玉换书。

371 香菱折腾半天，作出来的诗不是措辞不雅，就是文不对题，宝钗怪黛玉让香菱入了魔。一夜，香菱在梦中得了八句话，清晨记下来，大家看了说不但好，而且新巧有意趣。

372 一个婆子来传话，说是来了许多姑娘奶奶她都不认得，请园里的人快去认亲。

373 众姐妹到王夫人房里，见来的是邢夫人的嫂子和侄女岫烟，凤姐的哥哥王仁，李纨的寡婶带着女儿李纹、李绮，薛蟠堂弟薛蝌和胞妹薛宝琴。贾母、王夫人见到这副热闹景象，非常欢喜。

374 宝玉回到怡红院,感叹不已,说过去只以为园内都是绝色佳人,不曾想园外还有这么多人上之人。

375 宝玉回到贾母处,见贾母正要王夫人收宝琴作干女儿。贾母特别喜欢宝琴,让她和自己同住,叫邢岫烟在园内住几天再走,让李纨寡婶和女儿住在稻香村。

376 忠靖侯史鼎迁委了外省大员,贾母舍不得湘云,就留下她,把她接到家中,而湘云也非要和宝钗住一起。一心想作诗的香菱,与湘云谈起诗来越发没昼没夜。宝钗叹道:"呆香菱之心苦,疯湘云之话多。"

377 宝琴披着一领金碧辉煌的斗篷走进来,说是老太太给的。宝钗艳美不已。

378 琥珀来传贾母的话,说宝琴姑娘还小,让宝钗别把她管严了。宝钗笑着对宝琴说:"我就不信我哪儿不如你。"正巧宝玉、黛玉进来,湘云逗趣说:"有人还真这么想呢!"宝钗则说:"不会,我的妹妹和她的妹妹一样。"

379 宝玉见黛玉管宝琴叫妹妹,并无嫉妒,且与宝钗也很亲密,便问黛玉:"是几时孟光接了梁鸿案?"黛玉便将与宝钗交心的经过说了一遍。

380 第二天早晨,大雪纷飞。宝玉盥洗完毕,穿了蓑衣斗笠,匆匆赶往芦雪庵参加诗社。他料定增了香菱和新来的姐妹一定有趣,谁知来得太早了,一个人没有,便到贾母处吃早饭。

381 待大家齐集芦雪庵时,只不见了宝玉和湘云。有人说他俩在门外烤鹿肉吃,平儿、探春、宝琴也过去吃。

红楼梦

382 吃完后洗漱,平儿发现少了一个镯子。凤姐说:"我知道这镯子在哪儿,你们先去作诗吧,三天之内包管找到。"

383 宝钗让拈阄为序,凤姐说了第一句:"一夜北风紧。"接着大家便你一句我一句地作起来。湘云才思敏捷,总抢在众人之前。黛玉、宝琴也不甘示弱,三人争抢起来。

384 李纨见好就收。细评一回,湘云最多,大家说是鹿肉的功劳。宝玉受罚,李纨让他到庵里找妙玉取一枝梅来,让岫烟、李纹、宝琴各取红梅花中一字作诗,最小的宝琴作的最好。

385 这时贾母坐着竹轿,撑着油伞,踏雪而来。

386 过了一会儿,忽见宝琴披着凫靥裘站在小山坡上遥等,身后一个丫环抱着一瓶红梅,众人都说"就像老太太屋里挂的《艳雪图》。"贾母说:"那画里哪有这样的衣裳,人也没有这样好的。"

387 一语未了,只见宝琴背后转出一个披大红猩毡的人来,贾母以为是女孩儿,众人都笑道:"那是宝玉。"说着宝玉来到跟前,他对宝钗、黛玉说他去了栊翠庵,妙玉送每人一枝梅。

388 吃过晚饭,贾母问薛姨妈宝琴的年庚八字并家境,薛姨妈猜是要给宝玉求配,便说宝琴已许配梅翰林的儿子,贾母也就不再提了。

红楼梦

389 第二天一早，贾母便嘱咐惜春，第一要紧的是把昨天宝琴、丫头、梅花那副情景，一笔别错地画到画上。惜春虽为难，但还是应了。

390 宝琴从小跟父亲游历名山大川，今作了十首怀古诗，暗隐十件俗物。众人看了，都称奇道妙，只有宝钗说后两首无考，黛玉、探春与她争辩。

391 袭人母亲病重，她哥哥来求恩典，想接袭人回去。王夫人命凤姐办理。凤姐让周瑞家的派车调人，又叫袭人穿上好衣裳来见她。

392 袭人穿戴来了，凤姐上下打量，还满意，只是怕她冷，又赏了件马皮大毛衣让她罩上。临走，又赏了礼品，并让周瑞家的跟着。

红楼梦

393 袭人母亲已经停床，一时回不来，晚上晴雯和麝月照看宝玉。半夜里，宝玉要喝水，麝月伺候完了，见满地月光要出去看看。晴雯从热被中出去吓她，被风一吹，第二天便感冒发热。

394 宝玉怕让晴雯搬出去养病，不许声张，叫大夫从后门来看，开了方子，拿了药。

395 晴雯叫把药拿到茶房去煎，怕满屋子药味。宝玉却说觉得药气比一切花香都雅，一面叫人煨药，一面叫人给袭人送些东西去。

396 天短又冷，凤姐想让李纨带着宝玉、姑娘们在园内开餐，贾母说凤姐又多了许多事。凤姐说："宝玉和姑娘们身子要紧。"

红楼梦

397 宝玉惦记晴雯，离开饭桌先回园，只见她卧在炕上，烧得烫手，却不见一个下人。宝玉便找麝月，晴雯说："刚才平儿鬼鬼祟祟叫她们出去了，大概是要让我出去吧。"

398 宝玉说说平儿不是那种人，他从后门潜至那窗下偷听。平儿正告诉麝月，说那天丢的镯子找到了，是坠儿偷的，她让麝月别告诉宝玉、晴雯，等袭人回来变着法子打发了就得了。

399 宝玉听了，回来便告诉了晴雯，晴雯气得立刻就叫坠儿，被宝玉劝住。宝玉伺候她吃药，见发了汗，才去看黛玉。

400 宝玉踏进黛玉房里，见宝钗姐妹和岫烟都在，她们正在看石盆中插着的一柱水仙，说下一社以水仙为题。

401 众人散去，黛玉叫住宝玉，问他袭人几时回来。黛玉似还有话，却说不出，默一会儿神说："你回去吧。"宝玉也觉得心里有许多话，只是嘴里不知说什么，想了一会儿说："明天再说吧。"

402 第二天早晨，宝玉辞别贾母去舅舅家。贾母尚未起床，她叫鸳鸯把一件孔雀毛的氅衣拿来给宝玉披上，说这是俄罗斯的贡品，一件给了宝琴，这件给他。

403 晴雯的病总不好，心里烦，就骂小丫头。坠儿探头探脑，晴雯叫她上前来，冷不防捉住她的手用簪子扎，又让人叫她娘领她回去。坠儿娘来闹，晴雯说这是宝二爷的话。

红楼梦

404 这一闹,晴雯病更重了。宝玉出去把新大氅烧了个洞,拿出去补,谁都不敢接,说这是孔雀毛织的,见都没见过。宝玉怕第二天早晨贾母要问,晴雯见了只好带病连夜织补,到天明才补成。

405 快过年了,宁荣二府一派忙碌。贾珍开了宗祠,让人收拾妥当,贾蓉从光禄寺领回皇上恩赏,佃户头也将租银贡品送进府来。贾珍如数点收又按谱发放,只不给贾芹,说他在庵里吃喝嫖赌该罚。

406 腊月三十,贾母等有诰封的,都按品级着朝服,进宫朝贺。回来后,大家一齐入宗祠。

407 贾府人按男女长幼、官阶辈分等排班立定,等贾母拈香下拜,众人一齐跪下。

408 尤氏上房铺满红毡,备好火盒、茶果,恭迎贾母出祠小息。不一会儿贾母上轿回府,叮嘱:"注意香火,不可大意。"

409 荣府大门直开到底,贾母在正厅下轿归座,贾敬、贾赦等领众子弟进来。贾母叫按次归座,又叫给两府下人散压岁钱,献屠苏酒、合欢酒、吉祥果、如意糕。一时笑语喧哗。

410 初一,贾母又按品大妆,进宫朝驾兼祝元春千秋,归来又至宁府祭过列祖列宗。之后换衣歇息,再有贺节者一概不见。

411 元宵夜,贾母摆席唱戏,领宁荣二府各子侄孙男孙媳家宴。看到高兴,便说一声"赏",众人便把备好的铜钱往台上抛。

412 贾母见只有麝月、秋纹跟着宝玉,问袭人怎么不来,王夫人说她有孝在身,不能前来。贾母说鸳鸯的娘前天也死了,让她俩作伴。

413 宝玉领麝月、秋纹回到园中,见灯光灿烂却无人声。到镜壁前一看,鸳鸯、袭人对面而泣,感叹不能尽孝。宝玉不愿打扰,忙领二人回去。

414 回到席上，宝玉要了一壶暖酒，从薛姨妈开始，至姐姐妹妹，只有黛玉不喝，她把酒杯送到宝玉唇边，让他喝干。

415 下人献上元宵，贾母便让戏停下，让戏子们吃些热汤热茶再唱。有人引来两位唱书的女戏子，看座献茶调弦。

416 戏子唱的贾母不爱听，便让她俩对一套《将军令》。

417 凤姐见贾母高兴，就让击鼓传梅行一个"春喜上眉梢"的令。女戏子取来一面花脸令鼓和一枝红梅。贾母说梅传到谁手上，谁就要喝酒说笑话，众丫头便都挤了进来。

红楼梦

418 贾母让响鼓，鼓声或紧或慢，鼓声慢，传梅也慢，鼓声快，传梅也快。恰至贾母手中，鼓声停，贾母认罚饮酒，又说了笑话。

419 年事刚过，凤姐小产了，只能在家静养。王夫人顿失臂膀，只得将家中琐事交李纨与探春协理。因李纨贤弱、探春年轻，园中之事又请宝钗监察照管。

420 探春和李纨住得远，往来回事不方便，就将园门边小花厅收拾了，作议事厅。众人知李纨多恩无罚，探春又年轻恬和，都比凤姐时懈怠了许多。

421 碰巧连日有王公侯伯世交之家或升或降，王夫人忙着贺吊迎送，应接不暇。李纨、探春便整天在厅上起坐，宝钗在上房监察，每夜还坐小轿巡视，反比凤姐在时更谨慎了。

422 吴新登家的来报，说赵姨娘兄弟死了。李纨说和袭人娘死时一样，赏银四十两。吴新登家的取了牌就要走。

423 探春叫等等，问以前有无先例，据说有家里与外头之分，叫她说两个例证听听。吴新登家的说记不得了。探春问她在凤姐面前是不是也这么回话，这一问问得她满脸通红。

424 吴新登家的回去取了旧账。探春一看，按规矩，赵姨娘兄弟死了，只能赏银二十两。吴新登家的刚走，只见探春生母赵姨娘进来，眼泪鼻涕地大闹，说探春忘了养育之恩，她还不如个丫头了。

425 探春气哭了，但仍据理不让。这时凤姐打发平儿传话，说赵姨娘兄弟没了，照例该给二十两，如姑娘裁夺再添点也行。探春斥责凤姐作人情，说要添让她去添。

红楼梦

426 不一会儿,一媳妇来领贾环、贾兰学里的用费,探春说这钱该由各屋出,从今往后免了。平儿回来把刚才的事儿告诉凤姐,凤姐赞赏三姑娘是个人才。

427 平儿陪凤姐吃完饭又到探春处来,见她们正商议包园子的事。探事说年前去赖大家,听说他家园子包出去每年获二百两银子。大观园比赖家园子大一倍,为什么不包出去生钱?

428 说着,她就挑出几个知园圃的老妈子,不要她们交租,只问一年能孝敬些什么,既修了园子,又补了园内匠人月银,两全其美。平儿说二奶奶早有此心,只怕委屈了姑娘们。

429 宝钗笑着让平儿张开嘴,要瞧瞧她的牙和舌头是怎么长的,说从上午起,凡探春想到的,都说二奶奶也想到了,只是必有个不能办的理由。

430 将事情告诉园子的婆子们,她们听了都十分愿意,这个包竹山,那个包稻地,除交些笋和米还可交些钱。探春让张榜公布,年终结算,年利折成头油脂粉放给园中姑娘们。

431 宝钗又让包园子的婆子拿出点钱来散给园中未能包的婆子们,求个大家平安。一出兴利除弊的规矩在这三人手里办成了。

432 江南甄府派人来送礼,探春让人回贾母,贾母让她三人收礼入库。听说甄府有位公子也叫宝玉,贾母便命传宝玉来见见。

433 宝玉进来,甄府的人惊诧不已,说要在别处遇见,还当是自家的宝玉来了呢。贾母细问,听说甄家老祖宗对那宝玉也很疼,以致老爷太太都不便十分管教,竟生出十分好奇。

434 宝玉去黛玉处,紫鹃说姑娘在睡午觉。宝玉见紫鹃只穿件青缎夹背心,便伸手摸摸,说穿少了。

435 紫鹃说:"咱们只说话,别动手动脚的,叫人看见了说闲话。姑娘吩咐我们不叫和你说笑,你没见她近来躲你还躲不及吗?"说着起身去里间了。宝玉似浇了一盆冷水,呆呆地瞅着竹子发呆,怔怔地走了。

436 宝玉一时魂魄失守,坐在山石上出神,不觉掉下泪来。雪雁经过,问他:"怪冷的,你在这儿干什么?"宝玉说:"你走吧,难道你不是女儿,不防嫌吗?"

437 雪雁回去告诉紫鹃，紫鹃立刻奔来，对宝玉说她是开玩笑。

438 紫鹃挨着他坐下，说黛玉明年要回苏州了，宝玉惊问："她父母没了，回去找谁？"紫鹃说她总还有族人，又说："前天姑娘叫把你们送的东西都退了呢。"

439 晴雯来找，说老太太叫宝玉，见他满脸紫胀，一头热汗，忙把他带回怡红院。袭人见了，忙请李嬷嬷来看看。李嬷嬷问宝玉，他话也不答，掐人中也不疼了。

440 李嬷嬷"哇"地一声大哭起来，说不中用了，白操心了。袭人等只当她年老识多，听她这么一说，也都跟着哭起来。晴雯把宝玉跟紫鹃在一起的情景告诉袭人，袭人便往潇湘馆奔去。

红楼梦

441 紫鹃正服侍黛玉吃药。袭人顾不上礼节，进屋便问紫鹃跟宝玉说了什么，并拉她去见老太太。黛玉忙问原由，袭人说宝玉已死了大半了。黛玉一听将腹中之药呛出，喘得抬不起头来。

442 紫鹃忙替她捶背，黛玉推她说："你不用捶，拿根绳子勒死我才是正经。"紫鹃忙说只是说了几句玩笑话。黛玉催她赶快去解说，紫鹃便同袭人往怡红院跑去。

443 贾母、王夫人都已经来了。贾母一见紫鹃，眼中喷火，问她原因，才知是由黛玉回苏州引起。宝玉见紫鹃来了，就一把拉住："要去连我也带去。"

444 太医来看了，开了药，说无妨，让静养。贾母回去歇息，叫紫鹃陪住几天。黛玉不时也让雪雁过来打听消息。

445 过了几天，宝玉渐愈。湘云将他病中狂态学给他看，逗得宝玉伏枕而笑。无人时，紫鹃说那些话是试他的心。宝玉说："我只一句话：活着咱们一处活着，死了咱们一处化灰化烟。"

446 紫鹃回了潇湘馆，把宝玉的话告诉黛玉，并说何不趁老太太在，作定了大事。黛玉表面嗔怪，可心中伤感，直哭到天亮。

447 薛姨妈见邢岫烟生得端庄雅丽，本想说给薛蟠，又怕糟蹋了人家女孩，转而给薛蝌说亲。凤姐托贾母向邢夫人提起，定了这桩好事。

448 宝钗来潇湘馆看黛玉，正赶上母亲也在。薛姨妈说自己疼宝钗，也疼黛玉，黛玉便说要认姨妈做娘。宝钗说那可认不得，我哥哥正相中了一门亲呢。

449 朝内有位太妃已薨，贾母婆媳祖孙每天入朝随祭，移灵至地宫需一个多月，大家计议家里没人，便报尤氏产育，留在家中协理两府事体，又托薛姨妈照顾园中姐妹。

450 因宝钗处有湘云、香菱，薛姨妈便到潇湘馆安歇。一来贾母叮嘱，二来她最怜爱黛玉，所以药饵饮食都十分精心。黛玉感戴不尽，以母呼之。

451 尤氏召十二个唱戏的女孩面问，走的放银八两，留的在园中派用处，结果文官、芳官、蕊官、藕官、葵官、豆官、茄官、艾官都留在了园中。

红楼梦

452 清明节，宝玉在园中看见分给黛玉的藕官在烧纸，一个婆子抓住她要去见凤姐，宝玉谎称是为自己烧白钱。支走了婆子，他问藕官是为谁烧纸，藕官让他去问芳官、蕊官。

453 宝玉到潇湘馆，见黛玉瘦得可怜。黛玉见宝玉也比以前瘦了，劝他歇息调养。

454 宝玉问分给他的芳官：藕官是祭谁，芳官说："她是祭死了的药官。"原来藕官是小生，药官是小旦，常在戏里做夫妻，平日也恩恩爱爱，药官一死，她哭昏过去，至今每节烧纸。宝玉闻之感慨万千。

红楼梦

455 一天早晨，湘云让莺儿到黛玉处要些硝，新分给宝钗的蕊官也跟着去。莺儿随手摘些新柳编成花篮，蕊官喜欢想要，莺儿说要给林姑娘。

456 林姑娘见了花篮，十分喜欢，夸莺儿手巧。藕官也跟着蕊官去玩。三人回到柳叶堤，莺儿让她俩把硝先送回去，自己摘些柳条，又坐在石上编起来。

457 春雁走过来，说这一带归姑妈管，掐花折枝的她不依。正说着，春雁的姑妈真来了，她见此情景便对春雁指桑骂槐。

红楼梦

458 正好春雁娘来找春雁，那婆子便告状说春雁领人糟蹋她的东西。春雁娘听了上来便打，春雁就往怡红院跑。

459 春雁跑到宝玉跟前，哭诉刚才的事，宝玉叫她别怕，麝月则叫丫头去叫平儿。春雁娘说："凭她哪个来，没有娘管女儿，大家管娘的。"平儿来了说："撵出去。"春雁娘才转而乞饶。

460 宝玉叫春雁母女去向莺儿赔不是。蕊官将一纸包蔷薇硝让带给芳官。春雁回来交给芳官时，被贾环看见，贾环想要一些，芳官舍不得，就拿些茉莉粉给他。

461 贾环拿了"硝"去找彩云，彩云正和赵姨娘闲谈。彩云一看说："这不是硝，是茉莉粉。"贾环便说芳官给的"硝"。赵姨娘一听，说是欺主，气冲冲去问罪。

462 赵姨娘冲进怡红院，边骂边打了芳官两耳光。正巧宝玉不在，芳官便大哭大闹起来。

463 藕官、蕊官等闻讯，一齐跑入怡红院，围着赵姨娘厮打。晴雯等假装拉不住，袭人则拉这个跑那个，急得没办法。

464 尤氏、李纨、探春和平儿进来，将众人喝住，是晴雯差人去叫的。探春领开赵姨娘，连怨带劝。赵姨娘自知没趣，回房去了。

465 晚饭时，芳官去厨房传菜，柳家媳妇拉住芳官说悄悄话，一是求她讨些玫瑰露给女儿五儿养病，二是求她让宝玉给她女儿谋个差事。

红楼梦

466 芳官向宝玉要玫瑰露，并说起五儿的事。宝玉叫袭人取来连瓶叫芳官送去。柳家媳妇又分一半送她侄儿。

467 柳氏到兄弟家，贾环的跟学人钱槐正送来茯苓霜。他看上了五儿，再三求告，可五儿不愿意，他就来向五儿舅舅讨好，舅舅便分了些茯苓霜给柳氏，让她转给五儿。

468 回到厨房，正赶上开餐，柳氏便将茯苓霜搁下。迎春的丫头莲花要碗鸡蛋，柳氏说鸡蛋紧缺，改日再吃。莲花揭开菜箱，正看见十几个鸡蛋，便回去告诉司棋。

469 司棋心头火起，侍候完迎春吃饭，便带着丫头们走来，让丫头们把菜蔬扔了满地。众人忙劝，说蛋也蒸上了，司棋才领丫头离去。

红楼梦

470 柳氏将茯苓霜的事告诉五儿,五儿想送些给芳官,便乘黄昏人少时到怡红院来。

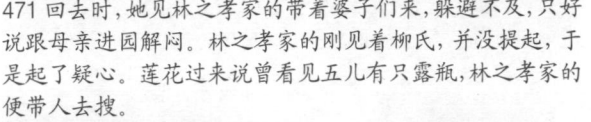

471 回去时,她见林之孝家的带着婆子们来,躲避不及,只好说跟母亲进园解闷。林之孝家的刚见着柳氏,并没提起,于是起了疑心。莲花过来说曾看见五儿有只露瓶,林之孝家的便带人去搜。

472 结果,在厨房里找着了露瓶,又翻出一包茯苓霜,林之孝家的便将人赃一起拿了去回凤姐。五儿向平儿哭诉,平儿见凤姐已睡下,便让交上夜的人看守一夜。

473 第二天早晨，平儿来问袭人，问清了那瓶玫瑰露的事，又听晴雯说那茯苓霜是彩云偷了送贾环的，便为难了。

474 宝玉听说后，料到牵连赵姨娘的事必惹探春难堪，为了不伤害众人，便把霜与露的事都应承下来，这场风波才平息。

475 于是平儿便去见了五儿，让她说茯苓霜也是芳官给的，并叫放了柳氏母女，依旧当差。

476 宝玉和宝琴同一天过生日，因贾母、王夫人不在，寿庆从简，只收了各处送的礼。外面传来笑声，是探春、湘云、宝琴等来讨寿面吃。宝玉忙迎出去。

477 平儿打扮得花枝招展来磕头，宝玉忙回礼。袭人扶起平儿，推宝玉再拜，说今儿也是平儿生日。众人都很惊喜，凑份子叫柳氏来定了两桌寿席。

478 寿宴设在红香圃内。因为没有贾母的约束，大家便任意取乐，划拳行令、喊七叫八，好不热闹。一转眼不见了湘云。

479 一个丫头走来笑着说："云姑娘醉卧在青石板上了。"众人出去一看，果然湘云卧在一石凳上，四面芍药花飞了一身，众人又笑又爱。

480 怕她睡出病来，众人推醒她。湘云低头看看自己，知是醉了，原想出来纳凉，竟睡着了，忙与众人回到红香圃中喝了茶，又衔了醒酒石，便好多了。

红楼梦

481 宝玉不见芳官，便离席出来找她，让她去告诉五儿明天进来。这时，他见丫头们在玩夫妻斗草，香菱和豆官滚在地上，弄脏了石榴裙。

482 宝玉上前扶起香菱。香菱说："你看这裙子，还是琴姑娘给做的呢。"宝玉说袭人也做了一条同样的裙子，因孝没穿，可以拿来给她换上。

483 宝玉可怜香菱，没父没母，被拐卖出来，连姓都没有。他回来叫袭人找出那条裙子送给了香菱。

484 宝玉想晚上取乐，叫袭人准备，袭人说已凑了份子叫柳氏预备了。他还要了一坛绍兴好酒，等巡夜的一走，便关门摆酒。

红楼梦

485 宝玉让大家都卸了正装。晴雯要掷骰子抢红，袭人说人少没趣，宝玉便让丫头们把姐妹们全请来。探春抢了个"必得贵婿"，黛玉抢了个"芙蓉仙子"，湘云得了"香梦沉酣"，大家玩至深夜才散。

486 送走客人，院内的人又划拳唱曲，直到酒坛已罄。第二天晌午袭人醒来，见芳官头枕炕沿和宝玉同榻而卧，晴雯、麝月和丫头们也东倒西歪的。

487 宝玉喝茶时见砚台下压着一张帖，展开一看，上面写着："槛外人妙玉恭肃遥叩芳辰"。

488 宝玉望着"槛外人"三字，不知该如何回帖，便去问黛玉。路上，他遇到邢岫烟正要去看妙玉，岫烟说她和妙玉十年邻居，共过贫贱，妙玉是她半个老师。宝玉忙示帖求教。

489 岫烟看后说："她最赞两句诗：'纵有千年铁门槛，终须一个土馒头。'她自称'槛外人'，你回她'槛内人'便合她心意。"宝玉回房写帖，亲自送到栊翠庵，从门缝中投进去。

490 平儿在榆荫堂还席，宝玉让芳官女扮男装，湘云、探春也仿效，请蕊官、豆官扮成书童、琴童相随。尤氏也带佩凤、偕鸾二妾来玩，众人击鼓传花，十分热闹。

491 正笑语喧哗时，东府几个人慌张来报："老爷宾天了！"众人都吓了一跳。尤氏让人先将玄真观所有道士锁起来，等大爷回来审问，又派人去贾珍处报信，自己则和赖大等出城安排入殓。

红楼梦

492 贾珍告假，天子恩准，又赐贾敬五品之职。贾珍、贾蓉星夜驰回，途中遇贾瑞、贾珖，说家中已接亲家母和两姨娘帮忙，贾珍忙赶到铁槛寺磕头。

493 贾蓉赶回家中，让人布置前厅，自己进内室拜见外祖母和两位姨娘，见外祖母睡着了，便与两姨娘调笑。丫头们笑他热孝在身，还如此轻浮，他却抱住丫头就吻。

494 贾蓉将诸事办妥，赶到寺中回明贾珍。初四灵柩进城，自铁槛寺至宁府，数万人夹路观看。举哀之后，亲友散去，只留族人迎送宾客，贾珍父子居丧守灵。

495 宝玉见无宾客，就离灵回园看黛玉，碰上雪雁拿着瓜果走来。宝玉知黛玉一向不吃凉东西，便问雪雁，雪雁说姑娘伤感，写了好多诗，叫点香炉，摆上这些祭品。

496 宝玉料想是七月瓜果节,家家都上秋祭坟,引得黛玉很伤感,便决定先去凤姐处,让黛玉发散一下郁结,再过来劝。

497 宝玉来到潇湘馆时黛玉已祭奠完毕。见砚台下压着一张纸,他便取来看,黛玉要夺。宝钗正好进来,问是什么,黛玉说是为古史中五位可钦可美可悲可叹的才色双全的女子做的诗。

498 宝玉、宝钗赞不绝口,因写了西施、虞姬、明妃、绿珠、红拂五位才色女子,宝玉提笔命名为《五美吟》。

499 正说话时，贾琏来了，说老太太明天一早到家。

500 贾琏因协理丧事，与尤氏姐妹相熟，每日进出宁府，百般挑逗。三姐回以冷淡，二姐却十分有意，只是人多眼杂，不能轻动。

501有一天，贾琏与贾蓉同路回府，说起尤二姐姿色，赞不绝口。贾蓉探明其意，为他设计了一个偷娶尤二姐的妙计。贾琏高兴极了，说："只要事成，叔买两个绝色丫头谢你。"

502 贾琏进入宁府,独自上房,见尤二姐正和丫头一起做活。丫头见他俩眉来眼去,借故回避了。贾琏向尤二姐要几颗她吃剩下的槟榔,又把腰上的汉玉九龙佩塞给二姐。

503 一阵帘子响,尤老娘和尤三姐进来,大家叙些闲话。贾蓉进来,催贾琏回去,又对尤老娘说:"我爹要给二娘找个姨父,就跟叔叔一样。"

504 贾蓉回到寺里,告诉贾珍,贾琏因凤姐已不生育,要娶二姨,准备在府外买房子,瞒着凤姐办了。贾珍点头。贾蓉又回宁府,对尤老娘说是父亲之意,尤老娘哪会不依。

505 贾琏便派人在府后小花枝巷买下房子,择吉日接二姐过来,让鲍二管家。贾琏从此暗来暗去,不露风声。

506 两个月后，贾珍在铁槛寺做完佛事，得知贾琏不在花枝巷，便去与久别的姨娘见面。二姐知趣，邀母亲离开，贾珍便和三姐调情取乐。

507 这时，忽听叩门声，鲍二的女人开了门，见是贾琏，便悄声告知大爷在西院。贾琏忙回卧房，见二姐与母亲在一起，才放下心来。

508 二姐脸上讪讪的，知道瞒不住，便想把过去与姐夫的事说破。贾琏说："你放心，你前头的事儿，我也知道，不如我现在过去，叫三姨也和大哥成了好事，怎么样？"说完便到西院。

509 三人坐定，贾琏笑道："三妹妹为什么不和大哥喝个双杯酒？"三姐冷笑道："我没和你哥哥喝过，今儿倒要和你喝一个。"说着，揪过贾琏就灌，并且骂道，若拿她们当粉头，就打错了算盘；若要亏待她俩，她就去会会那位凤奶奶。

510 自此，三姐故意挑吃拣穿，稍不如意，就将他兄弟两个叫来痛骂。贾珍与贾琏商议，若不早些聘了她，迟早会闹出事儿来。

511 这一天，二姐备了酒，把三姐和母亲请来。三姐一见便知其意，含泪说道："我非要个可心可意的人才嫁。"

512 这时，小厮兴儿来说："老爷正等二爷去呢。"贾琏忙丢下三姐去了。二姐拿出酒果款待兴儿，向他打听贾府中的人和事，从凤姐、平儿到宝玉都问到了。

513 夜里，二姐盘问了一夜，才知妹妹心中的那个人是谁。

514 第二天，贾琏来说要出一趟远差，又问三姐的心上人是谁。原来，三年前三姐就看上了唱小生的柳湘莲。贾琏说，柳湘莲自打了薛蟠后就失踪了，谁知他哪年回来。三姐却非他不嫁。

515 贾琏出门走了三天，遇见一队驮子，主人竟是薛蟠和柳湘莲。原来，薛蟠路遇强盗，柳湘莲拔刀相助，二人遂结为兄弟。于是，贾琏为三姐做媒，湘莲并不推辞。

516 临分手，贾琏向柳湘莲要一份定礼，湘莲取下随身带的一把鸳鸯剑交给贾琏。

517 贾琏返京，把路遇湘莲一事告诉二姐，又把鸳鸯剑递给三姐。三姐喜出望外，把剑挂在绣房床上，觉得终身有靠了。

518 湘莲八月回京，先拜了薛姨妈，又来见宝玉，说东府里只有那两个石狮子是干净的，后悔与尤三姐订亲。接着，他来找贾琏，说姑妈已为他订亲，所以来索回宝剑。贾琏不允。

519 三姐在房中听见，知道他听了什么话，把自己当成淫乱之人，便摘下剑前来说："不必再说了，还你定礼。"说着，她左手将剑鞘递给湘莲，右手将剑拔出往颈上一抹。湘莲见如此烈女，后悔也晚了，从此削发为僧。

520 薛蟠因思念湘莲，将给母亲和妹妹的礼物丢在货仓里。二十多天后，张总管让人将两箱礼物送来：一箱绫锦绸缎给母亲，一箱笔墨纸砚给妹妹。

521 宝钗除自己留用外,将哥哥送的东西搭配成份,送给园中姐妹,黛玉的多加一倍。别人收了称谢,黛玉则睹物思乡,泪流不止。

522 宝玉进来,见黛玉泪流满面。紫鹃朝那堆东西努努嘴,示意宝玉。宝玉故意问她是不是嫌少,说明年叫人去运一船给她。

523 平儿听两个小丫头说"新二奶奶比旧二奶奶长得俊",生了疑心,便回了凤姐。凤姐马上命人叫来跟随贾琏的兴儿。

524 兴儿终于禁不住凤姐威逼,说出了贾琏暗娶尤二姐的全部经过。

525 凤姐又问明了尤二姐的住处和贾珍夫妇也去贺喜等情况,警告兴儿:"你出去提一个字,提防你的皮。"凤姐沉思许久,计上心头。

526 凤姐收拾出东厢房三间,对贾母、王夫人说要到姑子庙进香,便带着平儿等人素衣素盖,让兴儿引路,到花枝巷去了。

527 二姐吃了一惊,但人已经来了,便迎上前拜见,张口就叫"姐姐"。凤姐赔笑还礼,花言巧语要接二姐进府,说得十分恳切。二姐心实,说:"凡事只凭姐姐料理。"

528 凤姐携二姐上车,又悄悄告诉她:"这事老太太、太太都不知道,若知二爷孝中娶你,管把他打死。你先在园内住两天,等我设法回明了,再见老太太、太太。

红楼梦

529 凤姐让二姐从后门进了大观园,将她送进稻香村,求李纨收留几天,并吩咐众人若走露风声必死无疑。凤姐还将二姐的丫头一概退出,送自己的一个丫头供她使唤。

530 凤姐让小厮旺儿用银子买通尤二姐的原配张华,让他告贾琏在国孝、家孝中强迫退亲,停妻再娶。衙门传贾蓉上堂。贾珍闻讯,忙用二百两银子去贿赂察院。

531 凤姐赶到宁府,见到尤氏,照脸就啐,边哭边骂,说贾珍、尤氏害得她吃官司,要拉尤氏去见官。贾蓉忙跪地求饶,凤姐扬手便打。

532 尤氏忙许下五百两银子,求凤姐了结此事。凤姐见银子到手,换了一副面孔,反向尤氏赔礼,又说要替尤氏姐妹到老太太、太太那儿说好话。

533 二姐随凤姐去见贾母,凤姐嘱咐她别说话。正巧,贾母在园中散心,见了尤氏,问是谁家的孩子,凤姐叫贾母细看好不好,贾母说二姐比凤姐俊。

534 凤姐便把贾琏要娶她,又是亲上加亲的话说了,求老祖宗让她先进来,一年之后再圆房。贾母见凤姐如此贤良,高兴地答应了。凤姐又领二姐见过邢、王夫人,然后就把二姐挪进厢房住下。

535 凤姐唆使张华,让他来要人,并给他银子安家。张华来后,凤姐便告诉贾母二姐没退婚。

红楼梦

536 贾蓉暗中派人威胁张华,让他另买个女子回老家,又赏了他路费。凤姐怕露出马脚,让旺儿杀张华灭口,旺儿不忍,回了假话。

537 贾琏回来,见二姐已搬出花枝巷,忙问原由,然后去见贾赦、邢夫人。贾赦夸他能干,把丫环秋桐赏他为妾。凤姐一反常态,和二姐一齐迎接贾琏。

538 凤姐表面善待二姐,没人时却常用话伤她,说老太太、太太都知道她做女儿时就不干净,又和姐夫有染。秋桐自恃是老爷所赠,更不容二姐,骂她先奸后娶。

539 丫环善姐先是不服使唤,后也说三道四的,端来的饭菜也都是剩的,二姐暗怒、暗愧、暗气。平儿看不过,用自己的银子另做了给她吃。秋桐告诉凤姐,凤姐怒斥平儿。

541凤姐假叹命中无子,秋桐却幸灾乐祸,在窗下骂街。二姐不愿再受这气,当晚穿戴整齐,吞金而死。凤姐终于如愿了。

540 尤二姐哪经得住这般折磨,终于病倒,茶饭不思,四肢无力。有一天,她告诉贾琏,自己已有身孕。贾琏请大夫来看,竟把胎儿当作淤血打下。

542春暖花时,园内姐妹雅兴又起。一天早晨,湘云让翠缕叫宝玉来看诗。宝玉赶到沁芳亭,见姐妹们都到齐了,壁上写着《桃花行》一篇。

红楼梦

543 宝玉看后滚滚落泪。湘云说是她作的,宝玉知道必是黛玉所作,湘云不会有如此伤悼之情。大家议定明天起社,改"海棠社"为"桃花社",黛玉为社主。

544 不巧,第二天是探春生日,诗社之事只好延期。这天,姐妹们正在贾母处吃宴,接到贾政来信,说六七日回家,大家都很高兴,只有宝玉忙回房中临字默书,非常辛苦。

545 贾母怕他急出病来。探春说:"老太太别急,书虽替不得他,字却替得的。"于是园中姐妹每人每天临一篇字给他,让他搪塞贾政检查。

546 又有消息说贾政奉旨查看赈灾,要年底回家,宝玉又把书字搁到一边,与姐妹们起社填词、放筝玩乐。

547 贾政回家后,奉圣上赐假一月在家歇息。其间正值贾母生日,荣宁两府大摆筵席,客如流水,宴罢又进园游玩听戏。

548 尤氏终日不回宁府,白天待客,晚上在李纨处歇息。一天晚上,她见园中正门角门均未关,还吊着各色彩灯,但找不到当班的人,便让丫头去找管家的女人来。

549 丫头到了议事处,只见两个婆子,让她们去找管家,两人不去,还说:"各门各户的事,有本事指使你们那边的人。"丫头告诉尤氏,尤氏气得让找凤姐来。

红楼梦

550 正巧周瑞家的路过园门中，听了丫头的话便告诉了凤姐，凤姐叫捆上两婆子凭大嫂子发落。

551其中一个婆子的亲家母是邢夫人的陪房，那婆子的女儿便托邢夫人说情。邢夫人嫌恶凤姐，便看戏时当着众人的面赔笑，求凤姐放了两婆子，别在老太太的好日子里折磨她的人，说完上车离去。

552 凤姐又羞又气。尤氏也说凤姐太多事了，王夫人更让放了两婆子。凤姐越想越愧，回房大哭一场。

553 一天夜里，鸳鸯到园中传事，回来时到草丛小解，看见两个人影，认出一个是司棋，便叫了一声。不料司棋正与表兄幽会，吓得跪地求饶，表兄则慌忙逃走。

554 原来司棋与表兄青梅竹马,现在恋情萌动,被鸳鸯惊散后,竟一头病倒。鸳鸯忙过来劝慰安抚。

555 鸳鸯又来看凤姐,凤姐睡了,平儿便将她迎到东屋。 平儿说,凤姐从上月行经后便沥沥渐渐没止住,可她又怄气,又不愿看大夫,还得撑着管家事。

556 贾琏进来找平儿,看见鸳鸯,说府上入不敷出,想请鸳鸯把老太太的金器偷出一箱来,押些银子救救急。

557 鸳鸯还未答话,就见老太太派丫头叫她回去。贾琏进屋瞧凤姐,其实凤姐已经醒了,问:"可应了?"贾琏让凤姐再说说。平儿说,办成了,谢奶奶二百两银子才行。

558 贾琏说："你们也太狠了。"凤姐说后天是尤二姐周年，要给她烧纸上坟。贾琏半天才说："难为你想着，要明天得了银子，随你使多少。"

559 这时，旺儿媳妇进来，求奶奶作主，说彩霞不肯嫁给她儿子。正说着，丫头来报，说朝里夏公公派人来了。贾琏知是来要钱的，忙避开了。

560 凤姐迎进小太监，果然听他说夏公公看上了一处房子，短二百两银子。凤姐叫平儿拿出两个金项圈，押了四百两，将二百两打发了小太监，二百两交旺儿媳妇安排中秋节用。

561 贾琏回到书房，林之孝家的来说，旺儿之子是个赌徒，求婚之事已与彩霞母亲讲妥了。

562 这天晚上，赵姨娘的丫环小鹊来找宝玉，说："刚才我们奶奶在老爷跟前说了你，小心明儿老爷问你话。"

563 宝玉顿时慌了手脚，忙披衣起来读书。一房子的丫头侍候着都不能睡。小丫头们困得前仰后合，气得晴雯要拿针扎她们，宝玉忙替她们求情。

564 袭人说："小祖宗，只把心用到书上吧。"话未了，只听丫头跑来喊："不好了，有人跳墙下来了。"晴雯突然想出个解救宝玉的办法，也就是让宝玉乘机装病，说受了惊吓，躲过明天再说。

红楼梦

565 晴雯故意让人举着火把四处寻找跳墙人，闹得上下皆知。贾母忙派人来看视，又叫林之孝家的严查，凡吃酒赌钱、藏奸引盗的，立即撵出。

566 林之孝家的忙带人进园盘查，查出大赌头三人，小赌头八人，便带来见贾母。其中有林之孝的姨亲、柳氏厨头的妹妹和迎春乳母。

567 邢夫人往园内散心，碰见贾母房里的粗活丫头傻大姐，她边走手里边玩着个红红绿绿的东西。邢夫人要过一看，吓得忙问她是哪来的，傻大姐说是石头上捡的。

568 原来那是个绣香囊，上面绣着两个赤条条的人盘着身子，傻大姐以为是两个妖精打架呢。邢夫人忙藏起来，嘱咐傻大姐千万别告诉别人，不然连她一块儿打死。

569 迎春的乳母赌案发生后,她女儿求迎春去说情,迎春害臊不愿去讨没趣,叫平儿来训斥了她一顿。

570 柳家媳妇来找宝玉说情,宝玉知迎春乳母也有此罪,便来约迎春同去讨情,见人多又不好提起。

571 王夫人沉着脸走进凤姐房中,她让平儿出去,从袖中拿出傻大姐捡的香袋,说:"我问你,这东西是如何丢在园中石头上的?"

572 凤姐一看,吓了一跳,忙跪下诉说,这不是她的东西。于是王夫人召来周瑞家的,叫她尽快访拿这事。王夫人见人手不够,正好邢夫人陪房王善保家的走来,便又加上了她。

红楼梦

573 王善保家的恨园中丫头不拿她当回事，便数落园中丫头，说最看不惯晴雯，妖艳轻薄。王夫人便让人叫晴雯来，正好晴雯午睡刚起，钗鬃蓬松，王夫人一见，心中火起，说看不惯这个样儿。

574 晚饭后，王善保家的便请凤姐一并进园，喝令园门上锁，先到怡红院翻箱倒柜，又到潇湘馆，再来探春处。探春让丫头们打开她的箱柜，却不许搜丫头，说她是窝主，丫头偷来的东西，她都收着呢。凤姐忙上前赔笑告辞。

575 探春说："搜仔细了，再来我可不依。"那王善保家的，仗着是邢夫人的陪房，趁势作脸，上前来拉起探春衣襟，说："连身上都翻了。"只听"啪"的一声，王善保家的挨了一耳光，探春怒道："你是什么东西，敢对我动手动脚的。"

576 凤姐忙劝住，直到服侍探春睡下，才带人搜了李纨处，再入惜春房中，在丫环入画箱中搜出金银锞子及男人的靴袜。入画说东西是贾珍赏给她哥哥的，她都收着。凤姐叫先收了，明儿问明了再说。

577 最后到迎春处，别人都没什么，到司棋处时，因为她是王善保家的外孙女，只翻了一下就要盖上。周瑞家的上前从里面翻出男人的缎鞋锦袜，还有一个同心如意和表兄约司棋见面的字帖。

578 王善保家的一心想抓别人的错，反倒拿住了自己的外孙女，臊得无地自容，司棋倒无愧色、惧色。凤姐怕司棋晚上寻短见，让婆子把她监守起来。

579 谁知凤姐晚上发起烧来，第二天便看病吃药，把司棋的事搁下了。那胆小不懂事的惜春，把尤氏找来，非要把入画退了去不可。

红楼梦

580 贾母歪在榻上，听王夫人讲甄家获罪抄家的事。见尤氏和姐妹们进来，她说不管别人家的事，只商量八月十五赏月是正经。

581 尤氏回府，见停着四五辆大车，知道贾珍又在设习射为赌的玩局，叹息一回，回屋安歇。

582 中秋，贾珍在会芳园设家宴，赏月作乐。忽听墙下有叹息之声，仔细查看，并无人迹，隔墙便是祠堂，让人不可思议。

583 晚宴散后，贾珍夫妇到荣府来，随贾母在园中赏月。

红楼梦

584 在山上大厅,大家围坐一起击鼓传花,谁输了饮一杯酒,讲一个笑话。前两圈鼓响,停在贾赦、贾政手上,第三圈到宝玉时停了。他讲笑话怕父亲骂不务正业,便推说不会讲。贾政让他以秋字为题作诗。

585 宝玉想了四句,写在纸上呈给贾政,贾政为让母亲高兴,只说词句不雅,贾母说那就该奖。贾政让丫头取了两把海南扇子奖他。

586 二更时,贾母让贾赦、贾政散去,自己再和女眷们玩会儿。见凤姐、李纨病着,宝钗又回家团圆,贾母便叹道:"可见天下事总难十全。"说着叫奏乐助兴,大杯喝酒。

红楼梦

587 忽然，桂树下有悠扬笛声传来，众人都默然相赏。

588 夜深了，鸳鸯拿了斗篷来，劝贾母早点歇息，贾母雅兴正浓，说要玩到天亮。那笛声停了又起，凄凉悲怨，贾母竟听得落泪。王夫人也催贾母回房休息。

589 散席时，紫鹃不见了黛玉，急得满处找。原来黛玉对景伤怀，自去俯栏垂泪。湘云去劝，两人来到凹晶馆边，联起诗来，你上我下，你出我对，竟忘了已是午夜。

590 忽然，山石后转出一人，连称"好诗"，二人吓了一跳。细看竟是妙玉，她邀二人到庵中饮茶，也联了一首下篇，二人赞不绝口。

591 中秋过后，王夫人问园内搜查的结果，周瑞家的一字不隐，回明王夫人。王夫人因司棋是邢夫人那边的人犯了难。周瑞家的说不如连赃带人送过去，王夫人依允。

592 周瑞家的便到迎春房里传太太的话，让司棋打点东西。迎春含泪不舍，又无可奈何。司棋要同园中姐妹告别，周氏不让。到后角门时，司棋碰上宝玉，拉住求他，却被婆子拉了出去。

593 宝玉回到怡红院，见王夫人一脸怒气，让人将发着高烧的晴雯架了出去，并把丫头们叫来看了一遍，问出和宝玉同庚的四儿和唱戏的丫头，将她们都撵了出去。

594 母亲走后，宝玉大哭起来，袭人劝他。宝玉疑心有人嚼舌，不然这里的事母亲怎么都知道。袭人见宝玉疑心自己，也不敢多劝。宝玉吩咐袭人将晴雯的东西送出去。

595 晚上，宝玉央求一个婆子带他去看晴雯，晴雯无父母，住在她姑舅哥哥家。哥嫂哪有心管她，吃了饭出门去了。晴雯见了宝玉又悲又喜，剪下两根葱管般的指甲，脱下贴身红袄，送给宝玉。

596 晴雯死不甘心，她并未勾引宝玉，为什么咬定她是狐狸精？她对宝玉说："你这一来，我就是死了，也口眼闭了。"宝玉含泪离去。

597 这天夜里，宝玉梦见晴雯从外头走进来，笑着对他说："你好生过罢，我从此就别了。"说罢转身便走。宝玉忙叫，把袭人叫醒了。宝玉哭着说："晴雯死了！"

红楼梦

598 好容易熬到天亮，王夫人却传他去，说贾政要带他去应客。不一会儿，芳官等三人的干娘来回，说她们寻死觅活要去尼姑庵，王夫人让她们回去。

599 王夫人将放出晴雯、芳官等事回明贾母，又说了些谎，说晴雯有女儿痨，芳官等唱戏的孩子满嘴混说，还夸袭人好，说已按妾的名份发了她的月银。贾母只叹晴雯可怜。

600 王夫人问凤姐，宝钗为什么搬出园去，凤姐猜是抄检大观园她多心了。王夫人请来宝钗，让她搬回园里，宝钗说母亲有病需要照顾，今日正好回明。

601 下午，宝玉回来，刚进怡红院，丫头便告诉他晴雯死了。宝玉追问她临死说了什么，小丫头说不上来，宝玉便说她没用。另一个丫头伶俐，说："晴雯姐姐说她不是死了，是玉皇叫她上天做芙蓉花神。"宝玉听了转悲为喜。

602 宝玉心想：虽然临终未见，如今且去灵前一拜，也算尽了五、六年的情义。谁知他赶到晴雯家，她哥嫂已将她拖到郊外焚了。宝玉只好折回来看黛玉，黛玉不在，到宝钗处了，也人去屋空。

603 宝玉沮丧而回。在园中，见池内荷花，想起晴雯已作芙蓉花神的话，他于是作了一篇《芙蓉女儿诔》的祭文。

604 宝玉让小丫头备了晴雯平素爱吃的四样吃食，于黄昏人静时捧至芙蓉前，涕泪念告，读罢，又焚帛奠茗。黛玉从山石后转出，说："这是一篇与《曹娥碑》并传的祭文。"

605 第二天早晨，宝玉到王夫人处请安，听说贾赦已将迎春许给孙家。这孙家虽是宁荣府世家，但贾母不称心，贾政也很不喜欢，不过贾赦不听劝，也只好由他。

606 孙家急着娶亲，邢夫人便将迎春及四个丫头接出大观园。宝玉每天痴痴呆呆地到紫菱洲徘徊，见人去室空，寂寞凄惨，不禁吟诗抒怀。有一天被香菱走来听见。

607 香菱来找凤姐，说薛蟠要娶亲。宝玉问女家是谁，香菱说姓夏名金桂，长得花朵一样，又会诗文。宝玉说他为香菱担心，香菱红着脸离去。

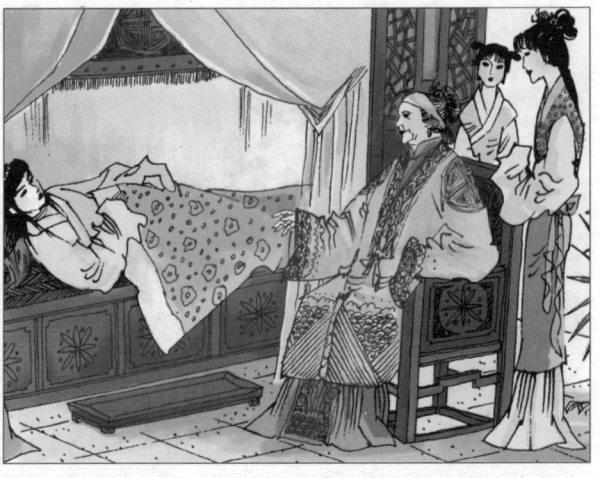

608 宝玉怅然若失，回来一夜不曾睡稳，一会儿呼唤晴雯，一会儿魔魔缠身，第二天便发热卧房。贾母、王夫人天天看视，一个月才好。

红楼梦

609 夏金桂过门后，外有花柳之姿，内却秉风雷之性。从小被寡母娇养，出阁又做当家奶奶，自然要拿出些威风来。见香菱是个才貌双全的爱妾，金桂便要摆布她了，先让她将"香菱"改为"秋菱"。

610 薛蟠得陇望蜀，刚娶了金桂，又撩逗陪房丫头宝蟾。金桂使出让薛蟠近宝蟾远香菱之计，暗示薛蟠："爱谁就收在房内。"

611 午后，金桂故意出去，见薛蟠和宝蟾成事，又让丫头叫香菱进屋取手帕。香菱正撞见二人好事，羞得连忙退避。薛蟠却恨香菱坏了他的事，晚上借口浴水热，踢了香菱几脚。

612 金桂让薛蟠和宝蟾在香菱屋里成亲，叫香菱过来陪自己，还让她倒茶捶腿，一夜不得安卧。

红楼梦

613 金桂装病，从枕内抖出一个纸人，上面写着金桂的年庚八字，心窝四肢插了五根针，暗示是香菱干的。薛蟠见状操起门杠痛打香菱。

614 薛姨妈出来拦，骂儿子辜负香菱一片心，不该不问明白就打，并让把香菱卖掉，也好拔去他们的眼中钉。宝钗劝住妈妈，让香菱从此跟着自己。那香菱一时气恼伤感，竟酿成干血之症，日渐瘦弱。

615 金桂又回过头来整治宝蟾。那宝蟾也有夏家风范，一句不让与她冲撞，因此常闹得鸡犬不宁。迎春也回来哭诉孙绍祖好色好赌，动不动就说迎春是五千两银子买来的，不好了就打入下房。为此，贾府无人不叹。

616 迎春回去，邢夫人若无其事，王夫人倒为她伤感落泪。宝玉让母亲告诉老太太，把迎春接回来，仍旧住在园里，省得受孙家的气。王夫人笑他孩子气。

红楼梦

617 宝玉憋了一肚子气，往潇湘馆去，一进门便放声大哭。黛玉听说是为迎春的事，也掉下泪来。

618 这时袭人进来，说老太太叫宝玉，宝玉听了，起身往外就走。袭人见两人都流泪，忙问原因，黛玉说宝玉是为迎春的事，袭人心里也酸酸的。

619 下午，宝玉依旧怏怏的，袭人劝他到园中散散心。他俩走到探春处，见岫烟等人在钓鱼，于是也加入进去。

620 宝玉来见贾母，贾母说上次马道婆和赵姨娘弄鬼让宝玉和凤姐得邪病的事儿发了，那马道婆被搜身抄家，抓到营里定了罪。

621 贾政问起迎春的事，王夫人将迎春的话学了一遍。贾政听了直怨贾赦不听劝说，叫女儿去受罪。王夫人学了宝玉的话，贾政听了直笑。

622 第二天，贾政吩咐宝玉去家塾读书，说应试考举才是正道，限他一年，如无长进，就不认他这个儿子了。宝玉听了，半天无言。

623 宝玉早早地起来，让茗烟捧着书笔，跟贾政上车来到家塾。贾政把宝玉交给贾代儒，作了揖回去，代儒便向宝玉布置了功课。

红楼梦

624 宝玉下了学，恨不能飞回潇湘馆，一进门便嚷道："我回来了！" 黛玉问他读书的事，宝玉大贬八股文章。黛玉说其中也有近情理的，要取功名必不可少。宝玉从没听黛玉说过这种话，扫兴而去。

625 回到怡红院，袭人说老太太让鸳鸯来传话，说老爷让他发狠念书，再有丫头和他玩笑，都要撵出去。宝玉听了心中烦闷，看会儿"四书"，便睡了，一夜烦躁难安。

626 直到红日高照，宝玉才起床，赶到学校，代儒就变了脸，接着让他讲了"后生可畏"章。

627 宝玉上学后，袭人清闲了，想起自己的终身：万一宝玉娶个厉害的，自己就是尤二姐、香菱的后身。现在看，自然是黛玉无疑了，但黛玉是个多疑的人。想到这儿，她决定去探探黛玉的口气。

629 黛玉说："但凡家事，不是东风压倒西风，便是西风压倒东风。"袭人说："做了偏房哪敢去欺负人。"这时，宝钗派人送来一瓶蜜饯荔枝，那婆子盯着黛玉说："怨不得太太说林姑娘和宝二爷是一对儿。"

628 黛玉见袭人进来，忙欠身让座。两人说起香菱，袭人伸出二个指头说："那位太岁奶奶比她还厉害，连脸面都不顾。"黛玉从不见袭人说人坏话，今日这样，便知其中必有原因。

630 送走袭人，黛玉闷闷地躺在床上，忽见贾母、邢夫人、王夫人、凤姐都来了，说她父亲升了湖北粮道，把她许给继母的什么亲戚做续弦，让贾雨村接她回去。黛玉死活不去，哭求贾母救她，可谁都不救，她放声大哭起来。

红楼梦

631 紫鹃忙推醒她，原来是梦。黛玉心中酸楚，听窗外渐渐飒飒，不知是风是雨，咳嗽几回，竟折腾了一夜。早晨紫鹃发现痰中带血，忙叫人去告诉探春。

632 探春、湘云匆匆过来。湘云一见痰盂，指着问："这是姐姐吐的？"黛玉昏昏沉沉本无细看，这一看心里便凉了半截。

633 探春、湘云去回贾母。一会儿袭人也过来看望，说宝玉昨晚闹胸口疼，一夜没睡，今天休学，惦记着姑娘，叫来看看。

634 贾母吩咐贾琏请大夫来看宝玉、黛玉，说偏是这两个玉儿多病多灾。大夫说黛玉六脉皆弦，是平时郁结所致，又说宝玉没大病，吃了药就好。贾府上下这才放心。

635 不久，元妃又欠安。宫内来人传旨，宣亲丁四人进宫探视，各许带一个丫头，亲丁男人只在宫外递个职名。贾母让邢、王夫人和凤姐及贾赦、贾政随她进宫。

636 轿子停在宫前，贾母由丫头扶着走进元妃寝宫，在床前请安。

637 元妃与家人略叙离情，又问宝玉。贾母说他近来颇肯念书，元妃很高兴。宫女送上贾赦、贾政职名，元妃边拭泪边传谕他们暂歇，叹道："父女兄弟，反不如小家子得以常常亲近。"

红楼梦

638 元妃痊愈后，让小太监带些东西银两，赏赐省问勤劳的家人。贾母说娘娘很惦记宝玉，又对贾政说宝玉大了该给他提亲了，贾政只是答应。

639 贾政夫妇回到房里，说贾母如此疼爱宝玉，总该让他有点真才实学。于是唤来宝玉，要过他的文章指点一番，又让他当场破题一章。

640 宝玉走出贾政书房，听说薛姨妈来了，忙跑到贾母房里。一见宝钗没来，宝玉顿时没了兴趣，可又不便就走，只好坐着听薛姨妈讲新媳妇恶迹。

641 贾政试了宝玉一回，心里欢喜，便和门客们提起。门客王尔调说南韶道张大爷家资巨万，小姐容德俱全，又与邢夫人沾亲，可给宝玉提亲。

642 第二天，王夫人提起张家的事，邢夫人说与张家虽是老亲，但久不往来，张家只有一女，必要招郎。贾母便摇头不允，王夫人只得听从。

643 贾母和邢、王夫人到凤姐处看望病中的巧姐儿。贾母又提起张家的事。凤姐听出是为宝玉提亲，便说宝玉和宝钗是天设的姻缘，何用别处找去。

644 贾母问："昨儿你姨妈在这儿，你怎么不提？"凤姐道："这得太太们过去求亲才行。"正说着，大夫看完病，说需要生牛黄，王夫人便派人到薛姨妈处去借。贾母等人各自离去。

645 刚煎上药，贾环进来瞧巧姐儿，想看看牛黄是啥样，便伸手揭药罐子。只听"砰"地一声，药罐碰倒了，火也浇灭了一半。

红楼梦

646 凤姐气得火冒金星，痛骂贾环和她娘是前世的冤家，从前要害死她，今天又来害巧姐儿。赵姨娘听说后也骂贾环，贾环恨恨地说："明儿我还要那丫头的命呢！"

647 北静王生日，贾赦、贾政、贾珍、贾琏、宝玉按例前去拜寿。郡王对宝玉格外亲热。

648 北静王受礼后，要贾赦等人退出，单留宝玉说话，并赠他一块仿通灵宝玉，还说皇上曾问及贾政，而巡抚吴大人则对贾政任学政时秉公办事十分保举。宝玉连忙谢恩。

649 宝玉回家见贾母,说了北静王府的事,又拿出仿通灵宝玉给贾母看。贾母让他别混了,宝玉指着自己那块玉说混不了,昨夜它还放红光呢。凤姐说:"那是喜信发动了。"

650 宝玉问什么喜信,贾母催他回去歇息。宝玉走后,贾母问王夫人是否对薛姨妈提过婚事。王夫人说薛姨妈十分愿意,但父死子作主,要和薛蟠商量。贾母吩咐大家先别提起。

651 宝玉回去告诉袭人,说贾母、凤姐说话含糊,不知其意。袭人猜是给宝玉提亲,怕他犯痴,便装着不知。

652 贾政升了郎中,代儒放宝玉一天假。宝玉回到贾府,见姐姐妹妹都在,高兴地拍手,说:"今儿的日子好!"凤姐说:"不但日子好,还是好日子呢!"说时看着黛玉笑,黛玉也笑。王夫人记起后天是黛玉生日。

红楼梦

653 王子腾送来一班戏,祝贺贾政高升;又是黛玉生日,大家非常高兴。黛玉不见宝钗,问薛姨妈,她说是留下看家。突然,薛家的人慌慌张张地来请薛姨妈回去。

654 原来,薛蟠在外打死了人进了班房,托人来要银子买平安,还让母亲找贾政疏通。薛姨妈惊吓不已,夏金桂又一味哭闹,宝钗只好边劝慰母亲,边让薛蝌去弄清案情。

655 两天后,薛蝌捎信回来,说薛蟠是误伤人命,但前审的口供十分不利,应速兑银五百两来买通人翻供。薛姨妈于是托王夫人来求贾政。

656 有钱能使鬼推磨。薛姨妈花了几千两银子,终于买通知县,判了误伤。薛蝌回来说再在死者亲属那儿花点银子,大哥便可回家了。

红楼梦

657 宝玉放学回来去看黛玉，见她正看一本琴谱。宝玉从未见黛玉抚过琴，想请黛玉教他，黛玉便给他讲了一套琴的奥妙。

658 宝钗让人送来一封信，内附一词，自叹家运多危，还记起咏菊的佳句。黛玉看后不胜伤感。探春、湘云来看她，她忙把信叠起，拭泪相迎。

659 三人说起南方，说起桂花的芳香，竟勾起黛玉对故乡的怀念。二人走后，紫鹃给她披衣，不料兜里竟还放着她当年剪破的扇袋和玉穗，不免更加感怀旧事。

660 闷闷地，黛玉到外间坐下，叫雪雁拿来纸笔，也赋了四章，配上琴谱，调上弦，弹起来。

661 这天贾代儒有事，宝玉放假一天，他信步来到蓼风轩，听见有人跟惜春下棋，便走了进去。

662 原来是妙玉在与惜春酣战，宝玉便在一旁观看。看到得意处，宝玉忘情一笑，把二人吓了一跳。宝玉说："妙公轻易不出禅关，今日何缘下凡一走？"妙玉脸一红，起身要走，宝玉便为她引路。

663 二人走近潇湘馆，听黛玉正抚琴吟唱。宝玉要进去，被妙玉劝住。只听一阵低吟之后，骤然变调，接着"嘣"的一声琴弦断了。妙玉大惊失色，起身便走。

664 妙玉回到庵中,晚饭后上禅床打坐,坐到三更,忽听屋顶上两只猫闹春,便又想起宝玉日间之言,不觉心跳耳热,走火入魔。她似见许多王孙公子要娶她,媒婆正拉扯着她上车,她哭喊求救,惊醒了庵中的女尼。

665 鸳鸯来找惜春,说贾母明年八十一岁,许下许多功德,要写三千六百五十一部《金刚经》,叫惜春也抄一部,惜春很愿意。

666 宝玉提着两只蝈蝈来见贾母,说是替贾环做对联得的谢礼。贾母骂贾环没出息,又问贾兰做出来没有,宝玉说是他自己做的,贾母便夸李纨的儿子好,有出息。

667 这一天,周瑞和鲍二拌嘴,周瑞的干儿子何三便打鲍二。周瑞坐山观虎斗,耽误了正事,贾珍大怒,令将三人捆了,每人抽五十鞭子。

红楼梦

668 贾芸见贾政在工部掌印，便想谋点发财的事做，便买了许多时新的绣品送给凤姐，想让她帮着说句话。凤姐不肯接礼，让丫环小红送他出去，贾芸便拿些东西给小红。

669 这一天，天气骤变，袭人叫焙茗送衣服去学房。宝玉见是晴雯织补的那件，心里难受，竟发起呆来，放学后向代儒告假一天。因河南决堤，工部郎贾政常忙得夜不能归，没人管束，宝玉的功课也就松了些。

670 宝玉回房，和衣躺下，晚饭也不吃。袭人叫他脱下那件衣裳，宝玉长叹一声，头一回自己把衣服脱下，叠好，包好，放好，一夜也没睡安稳。

671 第二天一早，宝玉吩咐把晴雯那间房收拾好，生了火，放好纸笔，他说要清静读书，不让人打扰。其实，他是为晴雯在作诗、焚化。

红楼梦

673 宝玉走后,黛玉心事重重,在房中闷坐。雪雁在门外悄声告诉紫鹃:"宝玉定亲了。"紫鹃吓一跳,问她是哪听来的,雪雁说是侍书说的。二人回房,见黛玉神色大变。

672 宝玉来到潇湘馆,见黛玉正在写经。宝玉问她那天弹琴为何突然转韵,黛玉说那是人心自然之音,本无一定。宝玉说自己不是知音,黛玉叹古来知音能有几个。宝玉讪讪而去。

674 黛玉听见了紫鹃与雪雁的话,顿时千愁万恨涌上心头。于是被也不盖,衣也不添,饭也不吃,人也不理,只求速死。紫鹃猜她听见了,又不好问。

红楼梦

675 贾母见黛玉的病不似无因而起，就盘问紫鹃、雪雁，两人都不敢实说。这天黛玉粒米未进，紫鹃料无指望了，便让雪雁守着，自己去回贾母。

676 这时侍书进来，是探春叫她来看黛玉的。雪雁见黛玉已不知人事，便问侍书给宝玉提亲的话可是真的，侍书说贾母想在园中找个亲上加亲的人。

677 紫鹃进来，怪她们不该在屋里说这些。忽听黛玉咳了一声，紫鹃忙端来半盅温开水，送到黛玉唇边，不料黛玉竟喝了两口。众人皆惊喜不已。

678 原来黛玉病虽沉重，心里却明白，听了侍书的话，觉得要在园里亲上加亲，那非自己莫属了，所以才喝了两口水。这时贾母和王夫人等赶来，见黛玉并非紫鹃说的那么严重，嘱咐了几句便走了。

679 黛玉忽病忽好的原由传入贾母耳中。她说黛玉太乖僻，太虚弱，恐不能长寿，只有宝钗和宝玉最合适。她决定让宝玉先娶宝钗，然后再嫁黛玉，让凤姐多去园中照料。

680 从此，凤姐常去园中。一天，她刚走到紫菱洲，见守园的婆子在嚷嚷。原来是岫烟丢了件袄，叫丫头问问那婆子，婆子便嚷嚷起来了。凤姐叫把婆子撵出去，岫烟反替婆子求情。

681 薛姨妈听说岫烟在园中的事，心里难过，都是因为薛蟠的案子，不然早该把薛蝌的婚事办了，也免得岫烟寄人篱下。晚上，薛蝌在房中也不免哀叹，还写了一首诗夹在书里。

682 宝蟾进来，端来一盒果子一壶酒，放在桌上，笑盈盈地说："这是大奶奶叫给二爷的。"边说边用眼瞄他，说大奶奶还要亲自来替二爷道乏呢。说完走了。

683 薛蝌忽听窗外一笑，料定是金桂和宝蟾两个作鬼，只不理睬，待脱衣歇息时，他又见窗纸湿了一块，凑近一看，冷不防外面往里吹了口气。薛蝌被闹得直到五更方睡下。

684 原来金桂与宝蟾见薛蝌一时回不来，便想把薛蝌弄上手，见试探不成，就想改日将他请到房中，用酒灌醉，他若不依从，就告他调戏。

685 第二天早晨，宝蟾身穿内衣，一身娇媚来到薛蝌房中，取走果盘。宝蟾任薛蝌赔笑也不搭理，薛蝌倒真疑心自己错怪了她们。

686 金桂突然不闹了，待人也亲热起来。薛姨妈十分欢喜，便过来看看，见屋里有个男人，说是金桂兄弟，便留舅爷吃饭。从此夏舅爷时常往来。

687 薛蟠又来信，说是银子只到了县府，道里没得着，又将案子驳回，让母亲快去找贾政求情，又叫薛蝌多带银子去打点。于是薛姨妈连夜打点银子行装，让薛蝌上路。

688 薛姨妈又来求贾政。等她离去，王夫人说想早点把宝钗娶过来，贾政却说等老太太明年过了生日再办。

689 第二天，王夫人把贾政的话当着贾母和薛姨妈的面说了。贾母、薛姨妈都很赞同。正说着，宝玉进来，他见薛姨妈不如以前亲热，心中顿生疑惑，悻悻地上学去了。

红楼梦

690 放学回来,宝玉去找黛玉,说起薛姨妈的事。黛玉见他生怕宝钗不和他好,便问他:"如果宝钗和你好,你会怎样,不和你好,你又怎样?"宝玉说:"任凭弱水三千,我只取一瓢饮。"

691 宝玉回到怡红院,贾母派人来传宝玉明天过去"消寒"。宝玉高兴得早早睡了。

692 第二天早晨,宝玉到贾母处时,众人还都没到,只有巧姐跟奶妈过来请安。

693 巧姐告诉宝玉,说她屋里的红儿是她妈从二叔那里要来的,她妈说要把柳家的五儿补给二叔。宝玉便呆呆地想那五儿娇娜妩媚的风姿。

694 一时,李纨、探春、惜春、湘云、黛玉来了,薛姨妈带着宝琴也到了。黛玉问宝钗,薛姨妈推说有病,岫烟是因为薛姨妈在场才回避的。凤姐派人来说她有事晚点到。

695 原来司棋的娘来找凤姐,说司棋被撵出去后,表兄来找她,司棋说她早是他的人了,司棋娘却不准。于是,司棋一头撞墙而死,表兄也自杀身亡。眼下衙门要捉司棋娘,求凤姐为她疏通。

696 贾赦领宝玉去应酬,来到临安府,见那唱戏的竟是蒋玉菡,他声音响亮,口齿清楚,按腔落板,简直使宝玉着了迷。

697 一天，甄府的佣人包勇来投贾府，贾政问起甄家的宝玉，包勇说他得了一场大病，像变了一个人，不爱女色爱读书了。贾政听了沉默不语。

698 贾政去衙门的路上，见一些人正围着一张帖子议论纷纷，过去一看，是揭露贾芹在水月庵窝娼聚赌的丑闻的匿名帖子。贾政立即叫来贾琏，让他派赖大速把女僧接来待查。

699 贾芹自从凤姐那儿接了管理水月庵的差事，便专在小尼小道身上下功夫。今日领了月银，又带了些果子酒，正和那些女尼道们玩得开心。

700 道婆来报：赖大爷来了。众尼连忙收拾，贾芹却充大不走。赖大佯说宫里传沙弥道士进城，让众女子和贾芹一起上了车。

701 贾琏见了贾芹，把帖子朝他一丢，说："你干的好事！"贾芹吓得面色如土，忙跪下磕头。

702 赖大进来，把庵中的情形说了，断定帖上的话不假。贾琏求他护庇，他也就应了。贾芹忙给赖大磕头。贾琏放了路费，将女尼们送回家。

703 紫鹃来找鸳鸯，见傅家婆子又来说媒。鸳鸯说那婆子把自家小姐吹上了天，贾母偏爱听。宝玉对其也有好感。

704 紫鹃心想："宝玉见一爱一，我何必为他操心。"不觉走回房来。这时园外一阵吵嚷，说怡红院里的海棠花竟在这个季节开了，原来是贾母进园赏花来了。

705 黛玉扶着紫鹃来到怡红院,见贾母,邢、王二夫人及众姐妹都来了。探春认为海棠此时开花不是好兆头,贾赦则让砍了它。贾母说:"这海棠应在三月里开,如今天暖开花也是有的。"命设宴作诗。

706 宝玉更衣赏花,摘下通灵宝玉忘了戴上,待袭人发现,已杳无踪迹。探春忙让关了院门,凡丫环婆子一概搜过,石下草丛无不查遍,又请人算命扶乩都没找到。怡红院的人全吓得呆若木鸡。

707 众人知此事瞒不过,要去报贾母。宝玉让大家推到他身上,说是他去南安王府听戏丢了,或说被他砸了。正在这时,王夫人来了,袭人、探春、李纨只好如实禀告。

708 凤姐也闻讯抱病赶来。王夫人催她快搜查上下，凤姐说不如暗中查访，哄骗出来，怕张扬出去那偷玉人毁玉销赃。

709 正急时，焙茗来说玉有了，在当铺里，要三百两银才能当回来。袭人啐道："你当是家家当铺里的那种大路货！"叫宝玉别理那糊涂东西。

710 黛玉也急了一天，晚上回来，想起金玉良缘的话，反觉欢喜，玉一丢，岂不拆散了金玉良缘？又一想，那玉是他胎中带来的，是他的命，莫非海棠花开真是不祥之兆，于是悲悲喜喜翻腾了一夜。

711 几天了，玉仍无下落，宝玉怔怔的，不言不语，没心没绪的，王夫人只当他是为失玉着急，也没太在意。贾琏来报，说舅大爷升了内阁大学士，奉旨来京。王夫人露出笑脸，盼兄弟快到。

红楼梦

712 忽一天，贾政满脸泪痕回来说："元妃得了暴病，快去禀告老太太进宫。"贾母边念佛边穿戴整齐进宫。

713 贾母、王夫人进了宫。元妃痰塞口涎，已不能言语，有悲泣之状却流不出眼泪。没多久，元妃薨逝。贾母等回到家中，哭泣不止。

714 宝玉失玉后，渐渐地连茶饭也可有可无了。袭人见状，忙请黛玉过去开导，黛玉因想着亲事必是自己，所以不好意思过来。探春见海棠花开得怪，宝玉失玉，元妃薨逝，谅家道不祥，也无心来劝。

715 直至元妃事完，贾母见到宝玉，才觉不对。王夫人忙回了失玉的事，只说是去南安王府路上丢的。贾母急得眼泪直流，忙让贾琏悬赏："拾玉送来者得银万两！"又叫袭人随宝玉到自己那边住。

717 贾政回家,听道上人说:"荣府里哥儿丢了玉,拾得了送去可得赏银万两呢。"贾政回来问王夫人,知是贾母的主意,不敢违拗,抱怨几句,忙去揭帖,谁知早被人揭走了。

716 贾母说也觉得那海棠开得怪,过去有玉能除邪祟,如今玉丢了,邪气易侵,才把宝玉接过来。王夫人说老太太福气大,镇得住,宝玉只在一旁傻笑。

718 一天,真有人送玉来了。贾琏进去传给贾母、王夫人。袭人捧在手上细看了半天,原来是仿制的。贾母叫不要为难那人,否则拾真玉的就不敢来了。

719 贾琏出来，那人还在等着。贾琏冷笑一声，那人连忙跪下，承认自己穷得无奈，才借钱仿了这玉，众小厮将他轰出门去。

720 王夫人正盼王子腾进京，忽听说他在离京二百里的地方死了。王夫人胸口疼痛难忍，挣扎着吩咐贾琏去料理后事。

721 皇上念贾政勤俭谨慎，放了江西粮道。贾政即将启程上任，可家中人口不宁，又实在悬心。正此时，贾母传他过去。

红楼梦

722 贾母说,宝玉性命难保,有个算命的说让娶个金命的人冲冲喜,让贾政拿主意。贾政一是担心元妃刚逝,二是担心宝钗哥哥在押。贾母说她可以想法避开,贾政便听由贾母去办。

723 宝玉昏睡,外面的谈话一概不知。袭人听得真切,心里高兴,可又想到宝玉心里只有黛玉,若知道娶的不是黛玉是宝钗,那就不是冲喜,反是催命了,于是忙去找王夫人。

724 袭人跪下将宝玉和黛玉的事一一说了,请王夫人传给贾母,想个万全的主意。

725 王夫人来到贾母房中,把袭人的话讲了一遍。凤姐献了个掉包计,说告诉宝玉娶的是林姑娘,而实际上则娶宝钗。

红楼梦

726 这天,林黛玉和紫鹃一起去贾母处请安。紫鹃回屋去取手绢,她便自己走到沁芳亭。有个小丫头在嘤嘤地哭。黛玉问她因何伤心,她说讲错了话姐姐打她,问她是什么话,她说是宝玉娶宝姑娘的事。黛玉听了如五雷轰顶。

727 黛玉恍恍惚惚,在那儿打转。紫鹃赶上来,黛玉说:"我问问宝玉去!"紫鹃扶着她来到贾母房里,贾母正睡午觉,黛玉便径直来到宝玉房里。

728 宝玉见了黛玉只是对着她傻笑。黛玉问:"宝玉,你为什么病了?"宝玉说:"我为林妹妹病了。"紫鹃、袭人吓得面目改色。

729 袭人忙让紫鹃、秋纹搀扶黛玉回去。黛玉说:"可不是,我这就是回去的时候了。"自己走得比往常飞快。刚到潇湘馆门口,她身子一栽,吐出一口血来。秋纹帮紫鹃将黛玉扶进房中,她不伤心了,只求速死。

730 秋纹回去，正值贾母醒来，她见秋纹神色不对，忙问她怎么了，秋纹说了刚才的事。贾母大惊，忙叫来王夫人和凤姐，追问谁走露了风声，二人都不知道。

731 贾母、王夫人和凤姐赶到潇湘馆，见黛玉面色苍白，神志不清，痰盂中都是血，都慌了。黛玉微微睁开眼，见了贾母，喘吁吁地说："老太太你白疼我了！"贾母忙传大夫来看。

732 贾母见黛玉情景不佳，便告诉凤姐："不是我咒她，只怕难保，你们预备后事，替她冲一冲。"走出门来又说："她若不是这心病，我花多少钱治也舍得，若是心病，我也没心肠了。"

733 回到住处，凤姐说黛玉这边有贾琏照应，倒是姨妈那边事要紧。房子快预备好了，老太太去姨妈那边说话，有宝钗怕不方便，不如叫姨妈过来。

734 当晚,薛姨妈来到王夫人处,王夫人、凤姐说贾政外任,老太太寿高,都盼宝玉早成亲。宝玉的病借喜冲冲就会好的。薛姨妈虽怕委屈宝钗,也只好应了。

735 薛姨妈回家告诉宝钗,宝钗低头垂泪。薛姨妈劝慰许久,宝钗才回房去。薛姨妈又叫薛蝌动身,一来打听薛蟠近况,二来告他宝钗的婚事。

736 四天后,薛蝌回来,说上司也准了薛蟠为误杀,只要预备下赎罪的银子即可。宝钗的事由妈妈作主,只叫省些银子。薛姨妈叫人把帖送过去,贾琏立刻过来议定过礼迎亲事宜。第二天,贾府便过了礼。

737 黛玉的病一天比一天重。贾母等只顾了宝玉，无暇顾及黛玉，黛玉睁眼只见紫鹃一个人，料定自己撑不多久，便挣扎起来，叫紫鹃拿来诗稿和那块写了诗的帕子，一起丢进火盆里。

738 第二天，黛玉又咳又吐，紫鹃看看不祥，忙去回贾母，不料贾母、宝玉都不在，到怡红院才从小厮嘴里得知宝玉另有新房。

739 紫鹃呜咽着回去，只见黛玉肝火上升，两颧赤红。李纨来看黛玉，忙命紫鹃为黛玉更衣，准备后事。这时平儿来叫紫鹃帮忙，紫鹃不肯，她只好拉雪雁前去。

740 雪雁是黛玉娘家带来的人，她到门洞一看，不知宝玉是听说娶黛玉为妻，身子顿觉健旺，一时手舞足蹈，因此便又恨又气又伤心。

741 一时大轿进门，家里细乐迎出去，十二对宫灯排进来。新人蒙着头盖，扶着雪雁进来。宝玉见了雪雁如见了黛玉一般喜欢，便和新人拜了天地、贾母后入洞房。贾政见宝玉果然好了，倒也喜欢。

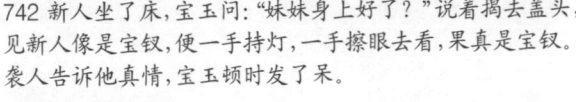

742 新人坐了床，宝玉问："妹妹身上好了？"说着揭去盖头，见新人像是宝钗，便一手持灯，一手擦眼去看，果真是宝钗。袭人告诉他真情，宝玉顿时发了呆。

743 结婚的喜乐传来，黛玉睁开眼，见紫鹃、奶妈和几个丫头在房中，她攥住紫鹃手说："我的身子是干净的，你好歹叫他们送我回去。"不一会儿，黛玉手便凉了，只听她大叫一声："宝玉，你好……"两眼一翻，气绝身亡。

744 紫鹃、李纨等万分悲伤，痛哭不已。凤姐怕贾母、王夫人难以承受，自己到园中哭了一场。待她缓缓地将黛玉的事回了，贾母要去园中哭一场，被王夫人劝住。贾母便哭着让好好发送，别委屈着她。

745 第二天，贾政要去上任，贾母惟恐贾政知道宝玉昨夜的真情，让袭人扶着宝玉出来行礼，又推说他才好些，怕风吹，不能远送。贾政嘱咐他好好念书，就自去赴任了。

746 到了回门的日子，宝玉连人也认不清了。若不回门，怕薛姨妈脸上无光，凤姐便让人抬两顶小轿从园内过去。薛姨妈见状，懊悔莫及。

747 回家后，宝玉病情加重，次日汤水不进，连坐都不行了。遍请名医，都不知病源，只有城外破寺中的穷医生毕知庵诊断是内伤外感。吃了他的药，宝玉果然好些，还要水喝，大家这才放心。

748 等房中只有袭人时，宝玉拉着她的手，问宝钗为什么赶走林姑娘霸占这里。袭人只说黛玉病了，宝玉要去看她，怎奈双腿无力，便说自己要死了，只求和黛玉死在一起。

红楼梦

749 宝钗和莺儿过来,听见这些话,便劝宝玉。宝玉嬉笑着嘲讽宝钗,宝钗便说:"实话告诉你吧,你那两天不省人事的时候,林妹妹已经亡故了。"宝玉听了,不禁放声大哭,倒在床上。

750 宝玉恍惚中,觉得自己踏入阴司。有人走来,宝玉向她打听黛玉,那人说她已进入太虚幻境,让宝玉潜心修养,如此尚可与之相见,若不安生,就永不得见了。那人说着从袖中取出一石,打中宝玉心窝。

751 宝玉正找不到回去的路,忽听有人叫他,睁眼一看,竟是贾母、王夫人等围着他哭叫。自己出了一身冷汗,倒觉清爽些了。袭人知宝钗这是让他一痛决绝,神魂归一。

752 宝玉一天天好转，只是一定要去哭黛玉。大夫说让他去，散了心再用药，能好得快些。

753 宝玉一到灵堂，嚎啕大哭。又问紫鹃，黛玉死前有何话说，紫鹃便把黛玉焚绢化诗及要带柩南归的话说了，宝玉听了哭得气噎喉干。

754 这天，贾母请薛姨妈商量为宝玉、宝钗圆房之事。凤姐进来，要给大家说个笑话。

755 原来凤姐路过新房，看见宝钗坐着，宝玉站着，扯住宝钗的袖子求她说话，宝玉急得一扯，宝玉便扑到宝钗身上。宝钗说："你又不尊重了。"宝玉起身笑道："多亏跌了一跤，总算跌出你的话来了。"

红楼梦

756 贾母、薛姨妈听了，都大笑起来。薛姨妈说女儿古怪，贾母却赞宝钗尊重，吩咐凤姐挑好日子给他俩圆房。

757 宝玉虽病好复原，却失去了往日的机灵，仍然任性胡闹或去园中游逛。袭人叹道："灵性不存，秉性未改。"

758 贾政到任后，盘查各州县粮库，惩治弊端，吓得贪官们敬而远之，一些想借他发财的人也怨声不迭。管门的李十儿劝他睁一只眼、闭一只眼，才能站住脚跟。

759 一天，贾政见桌上放了一信一文。信是同乡周琼来的，他任了海疆，来信求亲。文是说薛蟠贿赂县官，串记捏供误杀案发了。贾政因自己托过知县，不免提心吊胆。

红楼梦

761 好不容易贾政出来,李十儿忙问什么事。贾政笑着说:"这位大人是镇海总制的亲戚,有信嘱他照应我,如今我们也是亲戚了。"

760 此时,李十儿来传,请贾政到节度衙门官厅伺候。贾政自言:"这可怎么办好?"李十儿问他怎么了,他便把公文上的事说了,李十儿劝他先不用急。

762 贾政不知薛蟠一案到底有多大挂碍,便打发家人进京打听,顺便将镇海总制求亲的事写信告诉贾母和王夫人。

763 原来薛蟠被刑部驳审，判了死罪，监候秋天大审。薛姨妈为了给儿子赎罪，几乎倾家荡产，现又听说案翻，又气又急，宝钗为此常来劝慰。

764 金桂又哭又闹，气得薛姨妈没办法，而且只要薛蝌在家，她就描眉画眼，拦住蛮缠。有一次，她拉住薛蝌就往屋里拖，幸亏香菱碰见才罢手，从此便恨香菱。

765 王夫人告诉贾母要嫁探春一事。贾母嫌太远，怕将来贾政调任后探春孤单，可既是她老子作主，也不好阻拦。

766 宝玉听说探春远嫁，顿时哭倒在炕上，说："这日子没法过了，姐妹们都走了！"宝钗讲了好多道理，才将他劝住。

767 凤姐听说探春远嫁，到园中看她。时值夜冷风寒，她走至茶房外，听见有人声，叫小红去看看，又叫丰儿回去取衣裳，自己一人前行。只见背后有闻嗅之声，回头一看是一条狗，吓了个半死。

768 快到秋爽斋时，忽见人影一晃，凤姐忙喝问是谁。半晌听到背后有人说："婶娘连我也不认识了？"回头一看，竟是贾蓉先妻秦氏，她问凤姐为何忘了立万年之基的事。凤姐吓得毛骨悚然，掉头而回。

769 凤姐生性要强，恐落人话柄，回来也不敢向别人提起，只是对平儿说自己活了二十五岁，荣华富贵已享尽，万一死了，让平儿和贾琏恩恩爱爱过日子。平儿听了落下泪来。

770 贾琏清晨出去办事回来，见屋里的人都没起床，心中有气，就摔帘子摔碗闹了一通。凤姐便又和他生了一回气。

771 这天是舅太爷生日，宝玉和宝钗要去拜寿。凤姐到时，见宝玉歪在炕上瞧宝钗梳头，便笑着说："哪有爷们等着奶奶一块走的理？"

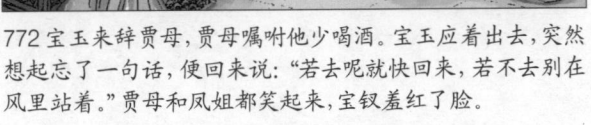

772 宝玉来辞贾母，贾母嘱咐他少喝酒。宝玉应着出去，突然想起忘了一句话，便回来说："若去呢就快回来，若不去别在风里站着。"贾母和凤姐都笑起来，宝钗羞红了脸。

773 过了一会儿，散花寺的尼姑进来，说王大人府里见神见鬼不干净，来寺里许愿烧香，保佑亡者升天，生者获福，请老祖宗随喜。凤姐当即就答应了。

774 凤姐果真去散花寺抽了一签，上写道："王熙凤衣锦还乡。"凤姐回来告诉大家，贾母很高兴，唯有宝钗犯疑。

775 王夫人叫宝钗劝劝探春，并说自己和凤姐身体都不好，让她担起持家的担子。宝钗于是过去劝慰即将启程的探春。

776 此时，大观园里只剩下几个守园的婆子了。那天尤氏过来送探春启程，经过园子回到宁府，便开始发烧，服了药却更发起狂来。贾珍吩咐贾蓉去请个高人来算算卦。

777 贾蓉把毛半仙请来问卦，说是晚上遇见暮虎了。贾蓉忙问有无大事，毛半仙说："先忧后喜，不妨事。"贾蓉听了才放下心来。

778 尤氏夜里出了汗，第二天就好了。这事传开，守园的婆子都不敢修花种菜了，都搬了出去，从此无人敢进花园中。

779 只有贾赦不信，他带几个手持器械的家人进园，想看个究竟。只见园内阴气逼人，跟的人都缩手缩脚，只听呼地一声，飞起一团东西，大家都说见了妖怪，贾赦也不禁胆怯，忙退出园子。

780 贾赦请道士除妖，于是排起坛场，擂起法鼓，呼神遣将闹腾起来，两府上下都来观看。法师说已将妖怪收进瓶内，要带回观内塔下镇住，然后撤坛。

红楼梦

781贾赦敬叩法师。贾蓉在后面笑,说那么大的排场,想着能拿住几个妖怪看看,不想就这么收了。贾珍骂他是糊涂东西,说妖怪聚成形散成气,法师驱了它,便散成气了,哪会看见。

782贾赦正想派家人搬进园中,看守房屋,忽见贾琏来报,说贾政失察属员,重征粮米被参革职。幸亏皇上念他初膺外任,让降三级,仍做工部员外,并让他即日回家。

783王夫人听说贾政被降职,反高兴起来,说跟老爷去的下人的老婆一个个穿金戴银了,只老爷不但没有捎回一个钱来,反而把家里的掏了好些去。如再不回来,说不定会被那些混账东西连命都坑了呢。

784正说着,薛姨妈家的老婆子慌张走来,说夏金桂死了。王夫人忙让贾琏去看个明白。

红楼梦

785 宝蟾说是香菱毒死了金桂，薛姨妈让把香菱捆了，等刑部来查。宝钗却让把宝蟾也捆起来，同时去通知金桂娘。

786 贾琏自去报官。薛姨妈叫来了金桂娘和养子。那母子一来便要与薛姨妈拼命，幸亏贾琏带了七八个家丁赶来，把夏家儿子拉了出去。金桂娘也只好收敛。

787 宝蟾一口咬定是香菱毒死了金桂。薛家下人说金桂是喝了宝蟾做的汤才死的。周瑞家的从褥垫下找到一张纸，宝蟾说是包老鼠药的纸。

788 接着发现金桂的首饰匣空了。于是追问宝蟾，宝蟾说是金桂拿回娘家了。金桂娘气急败坏，咬定是宝蟾害死了金桂，宝蟾则揭出金桂娘说要闹得薛家家破人亡的话来。

789 宝蟾一怕见官，二怕有挂碍，便讲出金桂叫她做汤给香菱喝，她心里有气，便在香菱的汤里多放了一把盐。谁知金桂端错了。宝蟾怕金桂喝了骂她，便又悄悄换了过来，不想金桂在汤里下了毒。

790 金桂娘听了，自知理亏，便要息事宁人。周瑞家的说，若要息事，得金桂娘自己出面拦刑部来验，夏家连忙依允。

791 一天，京兆府尹贾雨村路过知机县，正要渡河，见翠柏下一庙中道士正打座，很像自己恩师甄士隐。正要问他，忽报风浪将起，请速过河。那道士也催他快走，雨村只好辞他而去。

792 到河边，人报庙中起火，雨村回首看，只见烈焰冲天，要回去救又怕误了过河，不回去又心里不安，于是便让人等火灭后去看看老道怎么样了。

红楼梦

793 雨村前呼后拥，四处巡察。忽听轿前吵嚷，原是倪二酒醉冲撞，贾雨村便让带回衙中审问。

794 倪二的妻女听说倪二恃酒闹事，撞在贾大人手里，必不会轻饶。又听说贾大人和荣府二爷相好，便求贾芸去求情。

795 贾芸自从给凤姐送礼不成后，便不好意思到荣府去。守门的见主子不愿见他，也不给他好脸色。贾芸去给贾琏请安，说不在；找宝玉，也说不见。他回到家见了倪二妻女，只说贾大人不肯放人。

796 倪二妻女另托人将倪二保出来。倪二听说贾芸不肯说情，骂他没良心，要找他算账，幸亏妻女拦住，才没闹事。

797 雨村回家，把见到甄士隐的事告诉夫人，夫人怨他不回去看看。正在这时，那下人来报，说去火场看过，道士踪迹全无，雨村便知是仙去了。

798 内廷传雨村，他连忙赶去，见贾政被参回来已在朝内谢罪。二人刚见面，圣旨传来，叫贾政进去。

799 与贾政关系密切的大人们都在里头等着。过了一会儿贾政出来，满头大汗。众人忙上前问圣上有何旨意，贾政吐舌道："吓死人了，吓死人了，幸喜没什么事。"众人才放心而去。

红楼梦

800 贾政回家拜见母亲。贾母问探春的事，贾政一一回了。贾政见宝玉脸面丰满、也很安静，很高兴；问起黛玉，王夫人怕扫大家的兴，便说卧病在床。

801 回房，王夫人才告他黛玉已死，贾政吓了一跳，不觉掉泪叹息。

802 宝玉听贾政问黛玉，王夫人答有病，便怀疑黛玉没死，他见的只是空棺材。晚上借口要安安神，他叫宝钗先睡，让袭人把紫鹃叫来细问。

803 贾政宴请亲朋，忽然锦衣府赵堂官带着司官未报便撞了进来，接着西平王又来了，府役将前后门守住。贾政知大事不好，连忙跪下。西平王扶起贾政，遣散亲友，让贾赦接旨。

804 西平王宣旨："贾赦交通外官,依势凌弱,辜负朕恩,有忝祖德,着革去世职。钦此。"又下令拿了贾赦。其余看守、番役在两府抄查。

805 西平王只说抄封宁府,可赵堂官已遍地查抄。多亏北静王奉旨赶到,宣赵堂官只提贾赦,其余交西平王遵旨查办。荣府这才幸免。

806 贾母等女眷正在家宴,忽听宁府的人报抄家,吓得魂惊魄散。平儿哭着抱着巧姐来说:"外面传进话来,请太太们回避,王爷要来抄家了。"凤姐立时昏倒在地,贾母涕泪交流。

807 贾琏闯进来，说："多亏王爷救了我们。"一见凤姐昏死过去，急得哭叫不迭。平儿忙唤醒凤姐，同时众人扶贾母躺在炕上。贾琏忙将两王恩典说了，只不提贾赦被捉的事。

808 贾琏回屋，只见箱开柜破，物品被抢个半空。这时贾政与司员来登认物品，见一箱高利贷借券，贾政忙跪禀不知，贾琏连忙来认罪，两王将他与父案并办。

809 两王进宫复旨。贾政入内见贾母，贾母哭道："儿呀，不想还能见到你！"贾政忍泪安慰说："贾赦是暂时拘质，等问明后皇上还有恩典。"

810 邢夫人回至家中，见门被封，丫头婆子锁在几间屋里，便大哭着往儿媳妇屋来，又见凤姐面色如土躺在炕上，只得回贾母处。

811 焦大在门外嚎哭，大骂贾府不肖子孙，把祖宗创下的基业糟蹋成这样。又说自己活了八九十岁，只跟着太爷捆人，哪想到今天让人捆了。

812 薛蝌气喘吁吁跑进来，说他从衙内听说，珍大爷引诱良家子弟赌博，还强占民女为妻，因女不从，欺凌至死。那御史怕不实，还将鲍二与姓张的抓去对质。

813 贾母病危，贾政在内屋看视。忽报北静王府长史来了，说皇上念元妃去世不久，不忍加罪，让贾政仍为工部员外郎。所封家产，贾赦的入官，其余退还。贾政忙叩谢天恩。

红楼梦

814 不久，贾琏放出。贾琏屋内历年积聚及凤姐的体己钱七八万金，一朝而尽。贾琏因借券事被贾政斥责后，便忙着去打听父亲和贾珍的事。

815 众亲友都来看望贾政，只姑爷孙绍祖不仅不来看视，还派人向贾政讨要贾赦所欠银两。众人都骂孙绍祖混账。

816 薛蝌又回来，说锦衣府赵堂官要严办贾赦、贾珍。众人忙要贾政去求两王爷。贾政去了北静王府和西平王府叩谢，求王爷照应哥哥和侄儿。

817 贾琏回家见凤姐奄奄一息，即有怨气也难开口。平儿让他去给凤姐请大夫，贾琏没好气地说："我的性命都难保呢，还管她么？"凤姐听了泪流不已。

红楼梦

818 贾母身子好些,让鸳鸯拿些银子交给平儿服侍凤姐,又派车将尤氏婆媳、佩凤、偕鸾一起接过来,派了住房,配了丫头,连贾赦公孙三代在牢里也支了月银,以尽慈母之心。

819 傍晚,贾母让鸳鸯焚香,含泪祷告皇天保佑贾府逢凶化吉,说晚辈子孙纵有罪孽,情愿一人承担,只求赐她一死,以免子孙之罪。说完泪流满面。

820 第二天,史侯家来人请安,说湘云要嫁了,姑爷才学人品极佳。贾母甚觉宽慰,叫来人代祝湘云两口子百年到老。

821 贾政让赖大拿来府中家人名册,再看支出簿,早已入不敷出,寅年吃了卯年粮,可对外还装着门面。贾政跺脚:"不败才怪呢!"

红楼梦

822 贾政又被传进内廷，问贾赦交通外官等罪他是否知道。贾政说自己长期外任，不曾留心家中的事。

823 北静王转述圣旨，说贾赦交通外官罪不实，惟恃势强索古扇是实，然而是玩物，所以从宽发往边远台站赎罪；贾珍私理人命是实，发往海疆效力；贾蓉年幼无知释放。贾政叩谢不已。

824 贾政忙回家禀告贾母。贾母放了心，但想到两个世职革去，贾赦发往驿站，贾珍发往海疆，不免伤心起来。邢氏婆媳更是痛哭不止。

825 贾母让打点二人旅费，贾政把账上亏空说了。贾母哭道："怎么到了这个地步！"这时，贾赦、贾珍、贾蓉回来见贾母，三人愧悔莫及。

826 贾母叫邢、王夫人和鸳鸯打开箱柜，将一生的积蓄都拿出来，一一分派：贾赦三千，留一千给太太用；贾珍三千，留二千家用；三千给凤姐，另五百两交贾琏送黛玉灵柩回南方。贾政等都觉无地自容，跪下谢恩。

827 这时，平儿来报凤姐危急，贾母忙让贾赦等预备行李上路，自己与邢、王夫人去看凤姐，把三千两银子交给她。凤姐见贾母等不怨她，心里觉得舒畅许多。

828 贾赦等离家上路，跟去的人都怨声不绝。贾府上下人嚎鬼哭，生离远胜死别。贾政带宝玉送至城外，才挥泪告别。

红楼梦

829 贾政带宝玉回府，门上就回道："恭喜二老爷承袭了本家世职！"贾政忙进去告诉贾母，大家欢喜，只尤氏婆媳悲苦万分。

830 那包勇虽新投贾府，却对主人十分忠心。他听说宁府抄家是府尹贾雨村为脱干系所为，有一天遇到贾雨村车轿，便大骂他忘恩负义。贾政怕他再惹是非，就打发他去守园子。

831 一天，湘云出嫁回门，来向贾母请安，大家不免伤心落泪。湘云说起后天是宝钗生日，贾母想借此让大家高兴、热闹一天。

832 贾母拿出银子，叫鸳鸯置两天酒饭。次日又让人接迎春，请来薛姨妈、李纨、李纹、李绮、宝琴、香菱等人。众人给宝钗拜寿，宝钗才想起今天是自己生日。

833 然而却总也热闹不起来，凤姐的笑语也不像往常那么好听了。宝玉让行酒令，当李纨掷出金陵十二钗时，宝玉想起黛玉，离席而去。

834 袭人忙跟出来，劝不住，只好跟他到大观园去。到潇湘馆时，宝玉听里面有哭声，便也大哭起来。一会儿，秋纹奉贾母之命来找他回去。

835 贾母训斥袭人不该带宝玉进园，袭人也不敢分辩。凤姐想起自己在园中受的惊吓，也埋怨宝玉胆子太大了。

836 宝钗问出缘由，便装做与袭人闲谈，说人生前有情有意，死后便各奔东西。黛玉既已成仙，便不愿再与凡人来往了。宝玉听了也觉奇怪，怎么我天天想她，却从不梦见呢？

837 晚上，宝玉非要睡在外间，看单独睡能否梦见黛玉。宝玉见宝钗、袭人已睡，便坐起暗祷，想与黛玉梦中相会。

838 天亮醒来，宝玉叹道："悠悠生死别经年，魂魄不曾来入梦。"宝钗听了笑话他，宝玉反不好意思。

839 宝钗梳洗了，便去贾母处行寿星之礼。祝寿的人刚到齐，就有丫头来报，说孙姑爷派人来接迎春。迎春泪流满面，贾母知她难处，让她回去，说以后再去接她。迎春说她没再来的时候了，说着眼泪直流。

840 众人送走迎春,回来又热闹一天。晚上,薛姨妈辞了贾母,与宝钗商量为薛蝌、岫烟结婚的事。宝钗说由母亲定酌。

841宝玉昨夜没梦见黛玉,心里仍不罢休,还要睡在外间。宝钗知他是为黛玉的事,劝也没用,只好由他。袭人便叫麝月、五儿在外间照料。

842谁知宝玉越想越失眠,从五儿的容貌想到晴雯,便让五儿倒茶;又想起晴雯不该担了虚名,便去拉五儿的手,还说些轻薄的话。五儿脸一红,生怕别人听见。

843 忽听里间宝钗咳嗽一声,两人各怀鬼胎,都吓了一跳:宝玉疑心宝钗听见他的话,五儿疑心宝钗看见宝玉拉她的手。宝玉天明了才睡去。

844 第二天清晨,宝钗见宝玉睡得很熟,等他醒来就问他可曾遇仙。宝玉以为她明知故问,讪讪走开。宝钗又问五儿可曾听见他说梦话,五儿红着脸支吾。宝钗好奇怪。

845 两天来贾母高兴,多吃了些,晚上便有些不舒服,第二天更觉饱闷。鸳鸯要告诉贾政,贾母说饿两顿就好了,不让告诉。

846 宝玉觉得愧对宝钗,便搬回里间,听由摆布。当晚两人如鱼得水,恩爱缠绵。

847 第二天早晨,宝玉、宝钗同到贾母处请安,贾母叫鸳鸯取来一个祖传的玉玦送宝玉。宝玉接了,连声称赞。

红楼梦

849 贾政告假，日夜亲侍汤药。正这时，贾母得知迎春病危，湘云新婿暴病，一时悲伤难忍，病势加重。

848 贾母两天不进食，仍觉胸中结闷，头晕咳嗽。贾政忙请大夫来看，大夫说是偶感风寒，可一连三天，吃了药却不见稍减，反而添了腹泻。

850 太医为贾母诊脉后，说："脉息不好，防着些。"贾琏会意，告诉王夫人，又叫鸳鸯把衣裳准备好。这时，忽然贾母要茶，喝完还坐了起来。

851 贾母说她来贾府六十年，享了六十年福，儿孙们都不错。嘱咐宝玉要争气，要贾兰成人，让李纨风光风光，并看着凤姐说："你太聪明了，将来修修福。"正说着，忽然脸一红，便断了气。

852 顿时，里外举哀，孝棚高起，白纸糊门，上下人一律穿了孝服。皇上念世代功勋，又是元妃祖母，赏银千两。众人见圣恩隆重，都来探丧。

853 一切葬务又落到凤姐头上。鸳鸯跪求她办得风光些，贾琏却说贾政要她节俭银两，好在贾母坟上盖屋置祭田。凤姐左右为难。

红楼梦

854 连日来,王妃诰命来了不少,凤姐不便上前,只在底下张罗。众人见凤姐做事不如以前利落、周到,都疑她不用心,王夫人指责,邢夫人挖苦,连下人也作贱起她来。

855 平儿替她排解。李纨看出凤姐的苦处,暗地里派人帮她张罗,并告诉鸳鸯,凤姐摸不着银子,叫巧媳妇做不上没米的粥,所以不要怪她。

856 第二天是坐夜的日子,凤姐竟已支撑不住,顾前不能顾后。一个丫头说:"二奶奶在这里舒服呢,难怪大太太说里头照应不来。"凤姐心头一气,竟喷出一口血来。

857 平儿忙扶她进屋,又回了邢、王夫人。邢夫人怀疑她装病,用话伤她。预备辞灵时,鸳鸯哭得昏了过去,醒来后说:"老太太疼我一场,我跟了去。"众人也没理会。

858 辞灵时，独不见鸳鸯，原来她想到贾母一死，贾赦终会来相逼，不如死了干净，使用一条汗巾上了吊。

859 琥珀来找鸳鸯，推门一看她悬在梁上，吓得大叫一声。外面的人听见，进来一看，忙跑着去回太太。

860 贾政忙命连夜买棺盛殓，明日跟贾母一齐送出。王夫人叫鸳鸯的嫂子看着入殓，又赏她一百两银子。她嫂子直夸鸳鸯既得了好名声，又得了好发送。

861 贾政让惜春、凤姐看家，其余的都去守灵。林之孝带人拆了棚，关好门窗，派人巡更守夜。平儿和惜春各处走动，掌夜理事。

红楼梦

862 周瑞的干儿子何三,那年被贾珍撵出去一直在赌场混日子,赌场内一个赖头怂恿他进园偷贾母的遗银,二人一拍即合。

863 那天夜里,惜春一个人看家,又闷又怕,正好妙玉来看她,两人下了两盘棋。四更时,她们忽听有人喊抓贼,便由窗户向外看。

864 只见包勇手持木棒边喊边追过来。众贼见他一人,并不害怕,偷看惜春房里,见一绝色女尼,便要端门而入。包勇将一贼打死,这时家人也赶到了,众贼才越墙逃跑。

865 贾芸、林之孝赶到时,见贾母房里一片狼藉,锁拆箱启。包勇打死的正是周瑞的干儿子何三。凤姐叫把上夜的女人都捆起来,贾芸、林之孝只能重新派守。

红楼梦

866 惜春生怕老爷回来怪她，加之包勇又说是妙玉带进贼来的，她只得将和妙玉下棋的事对凤姐说了。凤姐怕她出事，只好陪她坐着。

867 贾政正在寺里守灵，贾芸匆匆进来跪下，将贾母房中失盗的事说了。贾政怕抄过家的，报了反担罪名，便忙叫贾琏回去，说失单不能不开，也不能全开。贾琏会意。

868 贾琏急得直跳，骑上骡子便往家里赶。贾芸也骑马随后追来。

869 贾琏到家，林之孝自知有罪，跪着禀告说衙门已来瞧过，尸体也验了。

870 那伙盗贼偷了许多金银，又听说报了官，便去投奔海盗。其中一个胆大，舍不得妙玉，三更时又攀入栊翠庵，施闷香麻木了妙玉，背着她越墙而去。

871 女尼们也被闷香迷住，天亮才清醒，但却不见了妙玉踪影，忙叫人查找。惜春一听，拿起剪刀剪下一半头发，要去庵里为尼。

872 贾政放心不下，便安排人守灵，自己与那、王夫人先回去。刚要走时，赵姨娘中了邪，对凤姐、宝玉连声忏悔。贾政只好让人侍候着。

红楼梦

873 贾政等三人到家,正赶上凤姐病危。贾政忙让人请大夫,先看凤姐,后看赵姨娘,又叫人捆了周瑞送衙门审问。

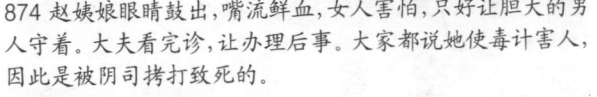

874 赵姨娘眼睛鼓出,嘴流鲜血,女人害怕,只好让胆大的男人守着。大夫看完诊,让办理后事。大家都说她使毒计害人,因此是被阴司拷打致死的。

875 凤姐恍惚中见尤二姐来索命,忙上前赔礼,说后悔过去做事心太窄。平儿推醒她,才知是做梦。

876 刘姥姥来请安,凤姐叫请进来,还让巧姐见过刘姥姥,说她的名字还是姥姥取的,让刘姥姥把她带走。刘姥姥谦让着不肯。

红楼梦

877 平儿怕凤姐太累，叫刘姥姥出来喝茶。平儿问凤姐的病，刘姥姥说："说是罪过，我瞧着不好。"

878 平儿回到凤姐床边。贾琏进来，让平儿开柜拿出所有值钱的东西，偿还贾母办丧事的费用。平儿回了凤姐，去办理，可是忽见凤姐两手在空中乱抓。刘姥姥忙念佛，凤姐又好些了。

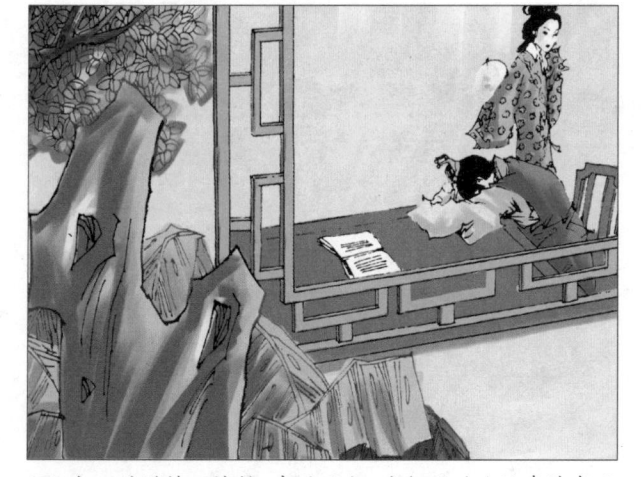

879 宝玉听说妙玉被劫，痛哭不止。宝钗用兰儿认真读书及老爷太太指望他成才的话劝他。宝玉不爱听，靠在桌上睡着了。

880 宝玉见紫鹃一直冷淡他，知是恨他辜负了黛玉，便悄悄来到她窗下，见紫鹃呆坐在灯下。宝玉叫她开门，她不肯，宝玉解释不通，哭了起来。麝月来叫他回房去。

881 夜里，宝玉夫妇听说凤姐危急，便起身要去，王夫人不许，说凤姐病得古怪，要等咽气了才能去。宝钗便想起凤姐求的那签。

882 有人来报："琏二奶奶死了！"宝玉撑不住要哭，宝钗说："有在这里哭的，不如到那边哭去。"

883 两人来到凤姐处，见凤姐已停床，众人嚎哭一回。贾琏诸事拮据，直哭到天明。大舅王仁见事将就，心里不高兴，叫巧姐来闹，被巧姐驳回。王仁从此嫌弃巧姐。

884 正在贾琏着急时，平儿拿出自己未被抄的钱物，以解燃眉之急。贾琏十分感激，从此事事与平儿商量。秋桐不甘心，总是与贾琏纠缠不休，贾琏越发烦她。

885 送殡之后，因贾政守孝，只在外书房与诸客说话。一天，忽报江南被革职的甄老爷来了，说是因海疆不宁，圣上起用他前去安抚。

886 两人悲喜交加，叙阔别之念。贾政托他到海疆后代为看视探春，甄老爷则请贾政代为照顾随后进京的家春。

887 贾琏、宝玉早已候在书房门外代贾政送客。甄老爷见了宝玉一怔，贾政忙作介绍。甄老爷拍手称奇，说两家宝玉不仅同名，而且相貌举止也一样。

888 贾政让宝玉每天做几篇文章给他看。宝玉为此闷闷不乐，宝钗倒十分喜欢。等他刚静下心来，地藏庵两姑子却来请安，见宝钗爱理不理的，便告辞去见惜春了。

889 两姑子提起修行的好处，惜春露出想出家的念头。

890 彩屏怕担不是，忙把惜春想出家的念头告诉了尤氏和邢夫人。两人正要去回贾政，外头传甄家太太带着甄家宝玉来了。

891 贾政见甄宝玉果然和贾宝玉一样，试他文才，竟对答如流，于是心中很敬，忙叫来宝玉、贾环和贾兰警励一番。

893 临吃饭时，两个宝玉回至房中，见王、甄两位夫人在上座，便先向对方母亲请安。贾府众人闻讯都来瞧，都又惊又喜。紫鹃心想：要是黛玉不死，将甄宝玉配了她该多好。

892 贾宝玉与甄宝玉相见如故。贾宝玉原以为甄宝玉是同心知己，一番叙谈后才知是功名利禄的俗子，与自己同名同貌不同路。

894 甄夫人知贾宝玉娶过亲了，提出让王夫人做保，为甄宝玉提亲。王夫人想了半天，只李纨的堂妹三姑娘般配，就说："只是家道如今差些。"甄夫人并不在乎。

红楼梦

895 贾宝玉见甄宝玉和自己不相投，便闷闷不乐，回房中只管发呆。宝钗问甄宝玉是否真像他，宝玉只说貌像，言谈不过是只禄蠹。宝钗说他两句，他竟发了旧病。

896 王夫人见宝玉失魂，忙请大夫看视。大夫让预备后事。贾政亲自过去看视，果然不好，只好叫贾琏去准备。

897 这时门上来了个和尚，手里拿着一块通灵宝玉，说要一万赏银。贾政忙命人请进来。

898 和尚一进门便往里跑,一直来到宝玉炕前,攀着宝玉先要银子,王夫人答应救活人定给银子。那和尚在宝玉耳边叫了两声,宝玉果然睁开眼,攥住那通灵玉说:"哎呀,久违了。"

899 和尚要银子,王夫人准备将家当卖了给和尚,宝玉说:"和尚怕不是来要银子吧。"

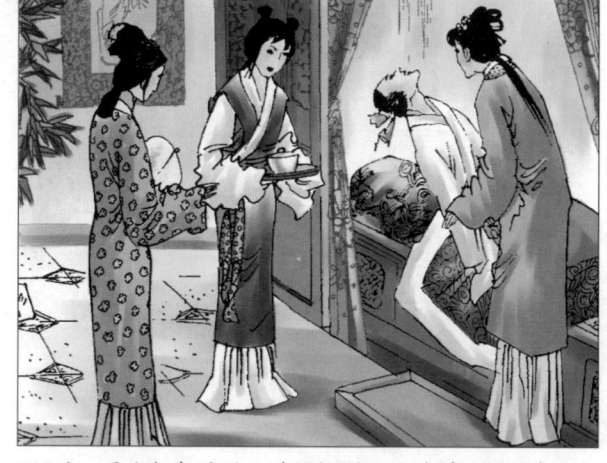

900 宝玉要坐起来,麝月上前扶起,高兴而忘情地说:"真是宝贝,亏得当初没砸破。"宝玉听了,把玉一撂,身子一仰,又死过去。众人急成一团,那和尚却找不见了。

901 宝玉魂魄出窍,赶到前厅,见和尚坐着,拉起他就走。宝玉觉得身轻如叶,飘到荒野,看见一座牌楼,像曾见过。

红楼梦

902 他正要问和尚，见飘来一个美人，像尤三姐，一晃便不见了。转过牌楼是"福善祸淫"的宫门，他见鸳鸯站在门里叫他，便赶上去，但又不见了踪影。他见一扇门半掩着，便走进去，里面有许多大橱。

903 宝玉记得曾梦见过这里。他打开橱门，里面有几本册子，翻开其中的"金陵十二钗正册"，见里面提到元春、黛玉等。正要细看，只听鸳鸯叫他："林妹妹请你呢。"忙跟她出了门。

904 宝玉进了一座宫门，里面有许多奇花异草。鸳鸯此时又不见了，管仙草的女仙要赶他走。宝玉向她打听芙蓉花神，女仙说只有潇湘妃子知道。宝玉说："潇湘妃子是我表妹。"女仙说他胡说，要把他打出去。

905 宝玉回头就跑，忽见尤三姐持剑拦住，怒斥贾氏兄弟没好人。宝玉正急时，晴雯过来，称他为"侍者"，说妃子请他一会。

906 宝玉被带进一座宫殿,一头戴花冠的女子端坐其中,她正是黛玉。宝玉不禁大叫"林妹妹",那些侍女说他无礼,赶他出去。

907 宝玉见凤姐正在一个房檐下招手,便奔过去,一看并非凤姐,却是秦氏。他问凤姐在哪儿,秦氏不理睬。宝玉叹道:"我今天得了什么不是,众人都不理我。"说罢大哭。

908 几个大力士拿鞭子过来,宝玉拼命逃跑,见迎春等人走来,忙扑过去。不料那些女子又变成鬼怪,也追赶他。忽然那和尚说是奉元春之命救他,只见和尚猛地一推,他"哎哟"一声跌倒。

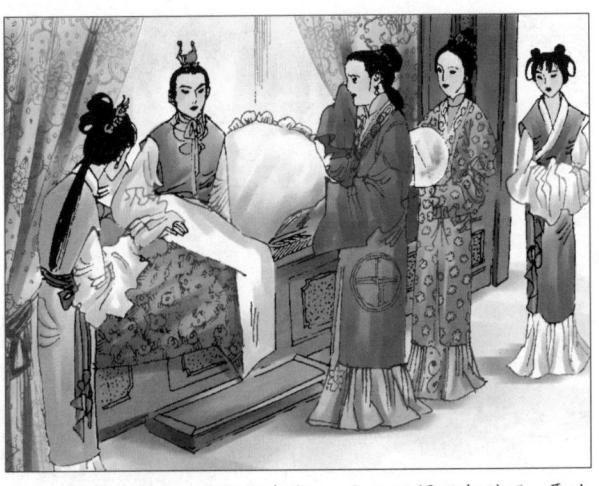

909 宝玉猛然惊醒,见仍躺在床上,众人哭得眼都肿了。贾政高兴得落泪,忙叫大夫诊脉开药。其实宝玉游过幻境,已看破红尘,只是不说罢了。

910 不久，贾政见宝玉已痊愈，便让王夫人管家，将贾琏留在府内，并嘱咐了宝玉和贾兰小心大比之年考举的事，之后别了宗祠，为贾母扶柩回南。

911 宝玉病后念头更奇僻了，不但厌弃功名，连儿女情缘也看淡了，不仅紫鹃、五儿不理，连袭人、宝钗也极冷淡。

912 有一天门外乱嚷，说那和尚又来了，王夫人忙叫宝钗去商量。宝玉独自出门，请和尚进来，见他和梦中一样，便明白了，说："你也别要那银子了，我把那玉还你吧。"

红楼梦

913 宝玉回房取玉，袭人听说忙抱住不放，又让人去叫王夫人和宝钗。宝玉说他只想去怄和尚，说玉是假的，可少要点钱，宝钗叫由他去。

914 不一会儿，跟宝玉出去的小丫头说："二爷真疯了，他求和尚带他去，好在和尚要玉不要人。有好些话外头小厮们都听不懂。"

915 王夫人骂道："糊涂东西，听不懂学得来吧。"让小厮在廊外学舌。那小厮听见宝玉说"大荒山"、"青埂峰"、"太虚境"、"斩断尘缘"等等，王夫人也听不懂，只宝钗吓得说不出话来。

916 王夫人让把宝玉拉进来。只见他进来笑嘻嘻地说，和尚和他原就相识，不是来要银子，只想见见面，已经走了，还说了"一子出家，七祖升天"等话。王夫人怕贾家又添一个出家人，便大哭起来。

红楼梦

917 贾琏进来,说父亲来信,说是病重,叫他快去,于是便把家事和巧姐都托给王夫人,说一切由婶娘作主。

918 贾琏走后,贾芸、贾蔷住进外书房,伙同贾环、邢大舅、王仁一起喝酒赌钱。有一天他们喝醉了,说藩王要娶妃子,不如把巧姐送去,可得不少银子。虽是酒后胡说,但王仁却动了心。

919 惜春与尤氏拌嘴,把头发铰了,求邢、王夫人允她做尼姑。

920 王夫人见无可挽回,也只得答应,但要惜春不剃头,不搬出住房。紫鹃也求王夫人让她随惜春修行。众人以为宝玉会大哭一场,不料他却平静地说:"真真难得。"

红楼梦

921 贾政扶枢回南,正遇兵将船只过境,河道拥挤,不能速行,因此盘费不足。他派人拿着信去向由他提拔做官的赖尚荣借五百两银子。不料家人返回,呈上一封哭穷信和白银五十两。贾政气得立即送还,并派人回家要钱。

922 贾芸赌输了,向贾环借钱,贾环便重提把巧姐说给藩王做妾的事。王仁也拍手赞同,并去说服邢大舅,让贾芸去回邢、王夫人。

923 邢大舅便对邢夫人夸这桩婚事的好处,哄得邢夫人心动,让贾芸快去提亲。

924 这天,来了几个艳装丽服的女人,邢夫人叫巧姐出来,只说是亲戚来瞧瞧。平儿不放心,跟了过来。

925 平儿猜出是相亲，因贾琏不在家，大太太作主，她不好直接问，便让人去打听。得知真相后，她连忙告诉李纨和宝钗，求她俩告诉王夫人。

926 王夫人忙向邢夫人说明，无奈邢夫人信了兄弟和王仁的话，反怀疑王夫人不怀好意，便旁敲侧击地示意王夫人别插手，一切她作主。

927 王夫人来告诉宝钗，宝玉听了劝王夫人别烦恼，说这事成不了。王夫人只当他说疯话。平儿进来跪求王夫人救巧姐，王夫人却无可奈何。

928 王夫人为此十分烦闷，回房休息。贾兰过来送上贾政来信，说探春随夫婿来京，问是否到了，又说考期日近，让宝玉和贾兰好好用功。

929 宝玉正细读《秋水》，宝钗见他只读这些出世离群的书，劝他收心用功，博得一第。宝玉点点头，说："一第呢，也不算难。"

930 贾兰进来，把信拿来给宝玉看。二人说起拟题作文章的事，不觉喜动颜色。宝钗和袭人还以为宝玉醒悟了呢。

931 贾兰走后，宝玉让麝月等把《庄子》及《参同契》、《五灯会元》等书搬走，把些语录名稿及应制诗等搁在静室中，当真用起功来。

932 袭人怕离考时间太短，来不及了。宝钗说功名自有定数，只望他从此走上正路。

933 王夫人听说这事，欣慰极了，让莺儿给宝玉送去一盘瓜果。莺儿悄悄告诉宝玉："太太夸二爷呢。"宝玉突然说袭人是靠不住的，让她好好服侍宝钗。莺儿以为他疯了，忙退去。

934 宝钗知宝玉功课好，只是对他那种冷淡不放心，尤其是和尚走后，他改得太快太好了。宝钗让老成管事的家人多跟几个上考场，以免发生意外。

935 考试那天，宝玉和贾兰来辞王夫人，王夫人忙叮嘱一番。贾兰句句答应，宝玉却一声不吭地跪下，磕了三个头，说："我无可报答母亲，只有中个举人，一辈子的不好也都遮过去了。"

936 李纨催叔侄二人早去，宝玉向李纨一揖，叫嫂子放心，说他两个必中，兰儿定有大出息。宝钗听着不祥，又不敢认真，只得忍泪无言。

937 宝玉向宝钗深深一揖，宝钗眼泪直流。众人都纳罕。宝玉说："姐姐，我走了。"然后扫视众人说："向四妹妹和紫鹃说声再见。"说完仰面大笑："走了，不胡闹了，完了事了。"

938 贾环见他们去赶考，心里生气，要给母亲报仇。他来见邢夫人，说巧姐给了藩王，大老爷定能做大官。邢夫人忙叫贾芸写了八字快送过去。

939 邢夫人的丫头是平儿挑来的，她悄悄把事透给平儿，说三天就会来抬人。

940 巧姐找王夫人哭求，王夫人说扭不过她亲祖母。

941 正无奈时，刘姥姥来了。平儿告诉她这件事，刘姥姥一怔，忽而笑道："不叫人知道，我带她走不就行了吗？"王夫人默许。

942 于是，王夫人去找邢夫人说话，想法绊住她。平儿立即雇了一辆车，将巧姐扮成刘姥姥外孙女青儿模样，并买通了看后门的人，送刘姥姥和巧姐出了后门，又趁人不注意，自己也跨上车去了。

943 那藩王原本是要买使女，去相看的人回来不敢隐瞒，如实说了。藩王见是世代勋戚，吓得不行，因为这是有禁例的，于是吩咐，再有人来说，便打发出去。贾芸、王仁来时，就被门子轰了回去。

944 贾环好不容易盼回贾芸、王仁，却见竹篮打水一场空。这时邢、王夫人来传，他们只得过去。王夫人大怒，说他们逼死了巧姐和平儿，让他们还人。邢夫人无言。

945 出场日期到了,却不见宝玉、贾兰回来,王夫人打发了几拨人去找也找不到。一天晚上,贾兰回来哭着说宝二叔丢了。王夫人昏死过去,宝钗干瞪眼没办法,只有惜春明白,却不说出来。

946 王夫人哭得饮食不进,命在垂危。正这时,探春回来了,她出落得更标致好看了。听说宝玉丢了,探春也哭了一回,并忙着安慰王夫人。

947 报喜的来了,说宝玉中了第七名举人,贾兰中了一百三十名,众人欣喜若狂。焙茗说:"一举成名天下闻,二爷是丢不了的。"王夫人觉得有理。

948 皇上见中举的有两个姓贾的金陵人,问明是贾妃一族,又听说宝玉走失,非常悯恤。适逢皇上大赦天下,贾赦免罪,贾珍复职,奉还所抄家产。

红楼梦

949 贾琏探父回来，听说巧姐的事，当即派车把她和平儿接回，谢了刘姥姥。自此，贾琏对平儿越加敬爱，想等父亲回来将平儿扶正。

950 王夫人带着巧姐、平儿和刘姥姥来见邢夫人，说邢夫人是受贾芸、王仁蒙蔽，刑夫人听了自觉惭愧。

951 贾政扶灵途中，从家信中得知宝玉、兰儿中举，甚为欣慰，后又看到宝玉走失一节，心里又烦恼起来。料理完坟墓之事，他便匆匆赶回。

952 船行至毗陵泊岸，贾政让众人上岸投帖辞友，自己坐在船头写家信。写到宝玉的事，他停了笔，忽见船头雪影中，宝玉光头赤脚向他倒身四拜。贾政叫他，却见一僧一道夹住宝玉登岸而去。

953 贾政忙去追赶,只听三人中有一人唱道:"我所居兮,青埂之峰;我所游兮,鸿蒙太空。谁与我逝兮,吾谁与从? 渺渺茫茫兮,归彼大荒!" 贾政赶到山坡,三人竟倏然不见了。

954 薛蟠赎罪归来,将香菱扶正,来贾府谢恩。正好贾政信到,信上说到亲见宝玉之事,并说宝钗命苦,王夫人顿时痛哭起来。薛姨妈忙说宝钗已有身孕,王夫人才稍安心些。

955 宝钗是明理人,知宝玉生来奇异,便认了命。王夫人和薛姨妈将袭人放了出去,又给了很重的聘礼。袭人的哥哥将她配给了蒋玉菡。

956 贾政回来,进内廷谢恩。皇上问起宝玉的事,贾政据实回奏。皇上赞许宝玉的清奇文章,便赏了他个"文妙真人"的道号。一部旷世传奇至此到了掩卷之处。

红楼梦